D1541238

Le Corps humain

		Consultants	Dr Alain Beaudet

Éditeur Jacques Fortin

Directeur éditorial François Fortin

Rédacteurs en chef Stéphane Batigne
Serge D'Amico

Illustrateur en chef Marc Lalumière

Directrice artistique Rielle Lévesque

Designer graphique Anne Tremblay

Rédacteurs Stéphane Batigne
Josée Bourbonnière
Nathalie Fredette

Illustrateurs Jean-Yves Ahern
Pierre Beauchemin
Maxime Bigras
Yan Bohler
Mélanie Boivin
Jocelyn Gardner
Danièle Lemay
Alain Lemire
Raymond Martin
Annie Maurice
Anouk Noël
Carl Pelletier
Simon Pelletier
Claude Thivierge
Michel Rouleau
Frédérick Simard

Graphistes Véronique Boisvert
Geneviève Théroux Béliveau

Documentalistes-recherchistes Kathleen Wynd
Jessie Daigle
Anne-Marie Villeneuve

Réviseure-correctrice Diane Martin

Responsable de la production Mac Thien Nguyen Hoang

Technicien en préimpression Tony O'Riley

Consultants

Dr Alain Beaudet
Département de neurologie et neurochirurgie
Université McGill

Dr Amanda Black
Department of Obstetrics and Gynaecology
Queens University

Dr Richard Cloutier
Département de dermatologie
Centre hospitalier universitaire de Québec

Dr Luisa Deutsch
KGK Synergize

Dr René Dinh

Dr Annie Goyette
Département d'ophtalmologie
Centre hospitalier universitaire de Québec

Dr Pierre Duguay

Dr Vincent Gracco
École de la communication humaine
Faculté de médecine
Université McGill

Dr Pierre Guy
Service traumatologique orthopédique
Centre universitaire de santé McGill

Dr Michael Hawke
Department of Otolaryngology
Faculty of Medicine
University of Toronto

Dr Patrice Hugo
Dr Ann-Muriel Steff
Procrea BioSciences inc.

Dr Roman Jednak
Division d'urologie
The Montreal Children's Hospital

Dr Michael S. Kramer
Départements de pédiatrie et d'épidémiologie
et biostatistiques
Faculté de médecine
Université McGill

Dr Pierre Lachapelle
Département d'ophtalmologie
Université McGill

Dr Denis Laflamme
Dr Maria Do Carmo
MD Multimedia inc.

Dr Claude Lamarche
Faculté de médecine dentaire
Université de Montréal

Dr Sheldon Magder
Faculté de médecine
Université McGill

Dr Nelson Nadeau

Dr Louis Z. G. Touyz
Faculté de médecine dentaire
Université McGill

Dr Teresa Trippenbach
Département de physiologie
Université McGill

Dr Martine Turcotte

Dr Michael Wiseman
Faculté de médecine dentaire
Université McGill

Données de catalogage avant publication (Canada)

Vedette principale au titre : Le Corps humain : comprendre notre organisme et son fonctionnement

(Les guides de la connaissance ; 4)
Comprend un index.

ISBN 2-7644-0804-8

1. Corps humain - Encyclopédies. 2. Biologie humaine - Encyclopédies.
3. Anatomie humaine - Encyclopédies. 4. Physiologie humaine - Encyclopédies
I. Collection

QP34.5.C67 2002   612'.003   C2001-940322-4

Le Corps humain : comprendre notre organisme et son fonctionnement a été conçu par **QA International**, une division de Les Éditions Québec Amérique inc.,
329, rue de la Commune Ouest, 3e étage
Montréal (Québec) H2Y 2E1 Canada
T 514.499.3000 **F** 514.499.3010

Nous reconnaissons l'aide financière du gouvernement du Canada par l'entremise du Programme d'aide au développement de l'industrie de l'édition (PADIÉ) pour nos activités d'édition.

Les Éditions Québec Amérique tiennent également à remercier les organismes suivants pour leur appui financier :

Développement des
ressources humaines Canada

Imprimé et relié en Slovaquie.

10 9 8 7 6 5 4 3 2   05 04 03

www.quebec-amerique.com

Le Corps humain

Comprendre notre organisme
et son fonctionnement

QUÉBEC AMÉRIQUE

Table des

matières

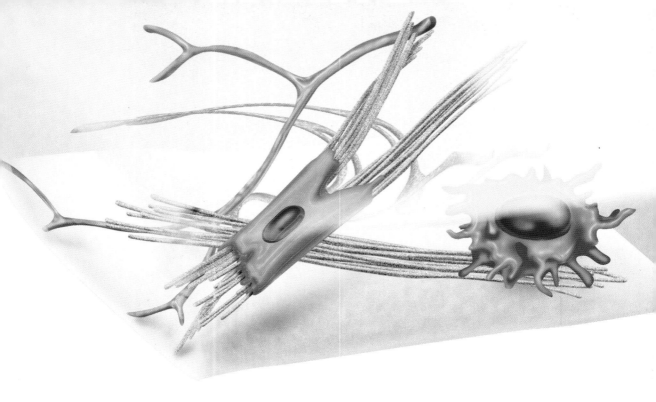

De quoi le corps humain est-il fait ?

Malgré sa grande complexité, notre organisme est formé d'unités fondamentales peu différentes les unes des autres : les cellules. Microscopiques, ces éléments de base s'assemblent pour former les différents tissus qui composent tous les organes du corps. Les cellules sont aussi le siège d'une activité intense et incessante : elles fabriquent de la matière vivante, consomment de l'énergie et se reproduisent constamment.

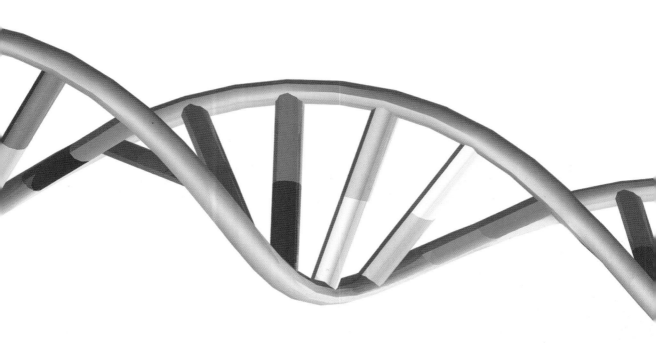

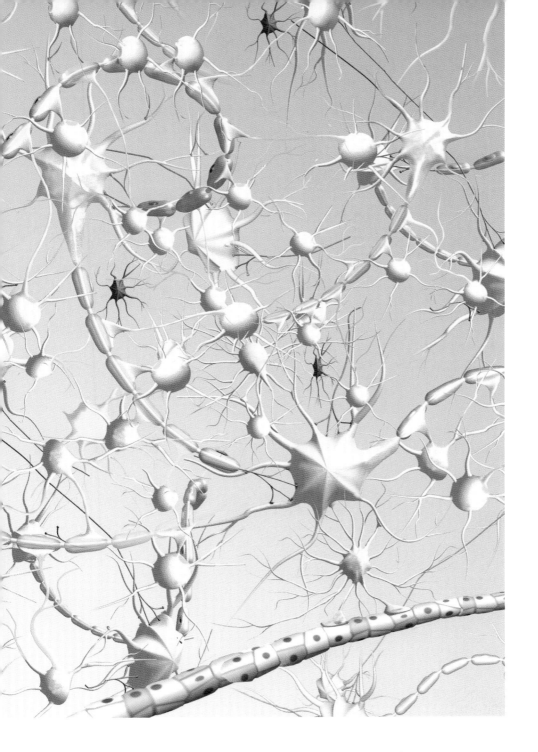

La matière du corps

La cellule humaine

Le composant élémentaire du corps

Élément de base de notre corps, qui en comprend environ 60 000 milliards, la cellule humaine est invisible à l'œil nu, car son diamètre ne dépasse généralement pas quelques centièmes de millimètre. Même si elle peut prendre de multiples formes selon sa localisation et sa fonction, elle se présente toujours sous une structure bien définie : une membrane extérieure, un noyau central et un certain nombre d'éléments internes baignant dans un milieu gélatineux, le cytoplasme.

DIFFÉRENTS TYPES DE CELLULES

Le corps humain comprend de très nombreux types de cellules, qui se différencient selon leur fonction. Malgré leurs différences de taille ou d'aspect, toutes obéissent cependant à la même structure générale.

Les **bâtonnets** de la rétine contiennent des pigments sensibles à la lumière.

Le noyau des **neutrophiles** est découpé en plusieurs lobes.

Les **érythrocytes** (globules rouges) colorent le sang en rouge.

L'**ovule** est la plus grosse cellule du corps humain.

Les **spermatozoïdes** possèdent un long flagelle.

Les **neurones** (cellules nerveuses) peuvent atteindre 1 mètre de longueur.

La forme irrégulière des **ostéocytes** (cellules osseuses) leur permet de se nicher dans de très étroites cavités du tissu osseux.

Le **cytoplasme**, qui constitue l'espace intracellulaire, est une sorte de gelée composée d'eau, de protéines, de lipides, d'ions et de glucose.

Les **lysosomes** contiennent des enzymes permettant la digestion intracellulaire.

Les **microtubules**, qui forment le véritable squelette de la cellule, facilitent le déplacement des organites à l'intérieur du cytoplasme.

Surtout constituée de molécules de lipides, la **membrane cellulaire** forme une barrière sélective.

Enveloppées dans une double membrane, les **mitochondries** assurent la production et le stockage d'énergie.

Les enzymes enfermées dans les **peroxysomes** ont une action oxydante.

Formés d'un assemblage de microtubules recouvert par la membrane cellulaire, les **cils** sont capables de propulser la cellule ou de déplacer une substance extérieure. Les cils de grande dimension sont appelés flagelles.

LA STRUCTURE DES CELLULES HUMAINES

Les cellules humaines (comme celles des autres êtres vivants supérieurs) sont dites eucaryotes, c'est-à-dire que leur matériel génétique se trouve enfermé dans un noyau délimité par une membrane nucléaire. Le reste de la cellule est composé de cytoplasme, un milieu semi-liquide structuré par un réseau de microtubules et de microfilaments. Les **organites** qui y baignent (mytochondries, appareil de Golgi, réticulum endoplasmique, lysosome) assurent différentes fonctions cellulaires, comme le stockage de l'énergie, la synthèse et le transport des protéines ou la digestion des corps étrangers.

Composant principal du noyau, la **chromatine** est un filament formé d'ADN et de protéines.

La **membrane nucléaire** est dotée de nombreux pores.

ribosome libre

C'est dans le **nucléole**, au cœur du noyau, que sont élaborés les ribosomes.

Situé à proximité du noyau, le **réticulum endoplasmique** (RE) consiste en un réseau de poches membraneuses et de canaux. Le RE rugueux est couvert de ribosomes qui synthétisent des protéines, tandis que le RE lisse, dépourvu de ribosomes, produit d'autres types de substances.

L'**appareil de Golgi** se présente comme un ensemble de sacs membraneux lié au réticulum endoplasmique rugueux. Il récupère les protéines synthétisées par les ribosomes, les modifie parfois par addition de glucides puis les libère dans des vacuoles.

Les **microfilaments** sont formés d'une protéine, l'actine. Avec les microtubules, ils constituent le cytosquelette, responsable de la forme de la cellule.

De petites vésicules sécrétrices, les **vacuoles**, se déplacent de l'appareil de Golgi jusqu'à la membrane cellulaire, où elles libèrent les protéines qu'elles contiennent.

LE TRANSPORT DES PROTÉINES DANS LA CELLULE

La synthèse des protéines, l'une des activités principales des cellules, s'effectue dans de petites particules appelées **ribosomes.** Il existe deux types de ribosomes : les ribosomes libres, qui sécrètent leurs produits directement dans le cytoplasme, et les ribosomes attachés à un réticulum endoplasmique, qui libèrent leurs protéines à l'extérieur de la cellule. Les protéines passent par le réseau de sacs membraneux du réticulum endoplasmique, sont traitées par l'appareil de Golgi, puis elles migrent vers la membrane cellulaire à l'intérieur d'une vacuole.

Chaque cellule possède deux **centrioles**, formés de faisceaux de microtubules et placés à angle droit l'un par rapport à l'autre. Ils participent à la division cellulaire.

Les chromosomes et l'ADN

Le code de la vie au cœur des cellules

Bien qu'il ne mesure que quelques microns de diamètre, le noyau de chaque cellule de notre corps est le siège de mécanismes fondamentaux, comme la division cellulaire et la synthèse des protéines. La substance responsable de ces phénomènes, l'acide désoxyribonucléique (ADN), se présente sous la forme de très longues molécules hélicoïdales agitées par une activité constante. Au cours du processus de division cellulaire, ces filaments s'entortillent sur eux-mêmes pour former des chromosomes.

Les molécules d'ADN ont pour particularité d'être composées de deux brins liés par plusieurs milliards de maillons successifs. La séquence de ces éléments constitue un véritable code, capable de commander la production de très nombreuses protéines spécifiques, mais aussi de se reproduire à l'identique.

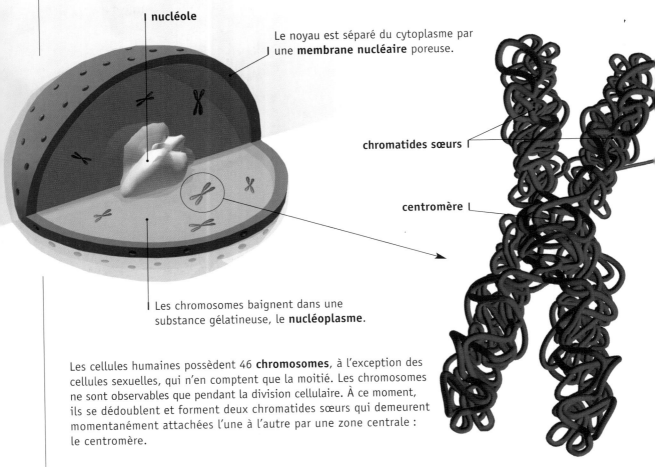

nucléole

Le noyau est séparé du cytoplasme par une **membrane nucléaire** poreuse.

chromatides sœurs

centromère

Les chromosomes baignent dans une substance gélatineuse, le **nucléoplasme**.

Les cellules humaines possèdent 46 **chromosomes**, à l'exception des cellules sexuelles, qui n'en comptent que la moitié. Les chromosomes ne sont observables que pendant la division cellulaire. À ce moment, ils se dédoublent et forment deux chromatides sœurs qui demeurent momentanément attachées l'une à l'autre par une zone centrale : le centromère.

À L'INTÉRIEUR DU NOYAU

À l'exception des globules rouges, toutes les cellules du corps contiennent un noyau. Certaines, comme les cellules musculaires, en possèdent même plusieurs. Le noyau d'une cellule comprend un ou plusieurs nucléoles, ainsi que des filaments de chromatine baignant dans le nucléoplasme. La chromatine, qui présente généralement l'aspect d'un collier, est composée de longues molécules d'ADN nouées autour de protéines, les histones. Au moment de la division cellulaire, ce filament s'enroule en spirale, se condense et s'organise de manière à former de petits bâtonnets caractéristiques, les chromosomes.

LA STRUCTURE MOLÉCULAIRE DE L'ADN

L'ADN est un polymère, c'est-à-dire que sa molécule est formée par l'assemblage de nombreuses molécules plus simples. On peut la représenter comme une très longue échelle torsadée dont les deux montants sont liés par des milliards d'échelons, chaque échelon étant lui-même composé par deux molécules plus petites, des bases azotées. Il n'existe que quatre sortes différentes de bases azotées dans l'ADN : l'adénine, la thymine, la cytosine et la guanine. Ces molécules ne s'apparient pas au hasard mais selon une règle stricte découlant de leurs structures moléculaires : l'adénine ne peut se lier qu'avec la thymine et la cytosine uniquement avec la guanine. On dit que ces bases sont complémentaires.

On appelle **nucléotide** le motif élémentaire de la molécule d'ADN. Il se compose d'un groupement phosphoré et d'un sucre, le désoxyribose, auquel se lie l'une des quatre bases.

L'**adénine** ne peut s'apparier qu'avec la thymine.

désoxyribose

groupement phosphoré

thymine

La **base azotée**, liée au désoxyribose, s'apparie avec sa base complémentaire pour former un échelon de la molécule d'ADN.

guanine

La **cytosine** est la base complémentaire de la guanine.

chromatine

Chaque chromosome ne compte qu'une seule **molécule d'ADN**, large de 2 millionièmes de millimètre mais longue de plusieurs centimètres.

Lorsque la molécule d'ADN s'enroule autour de huit molécules d'histone, elle forme un amas, le **nucléosome**, qui lui sert de soutien.

LE PATRIMOINE GÉNÉTIQUE ET L'HÉRÉDITÉ

Toutes les cellules formant le corps d'un individu sont issues de la division de la même cellule initiale, si bien qu'elles renferment des filaments d'ADN absolument identiques. En outre, la séquence des bases azotées diffère toujours d'un être humain à l'autre : la composition de l'ADN de chacun est donc unique.

Une grande partie de notre patrimoine génétique est liée à notre appartenance à l'espèce humaine : ainsi, tous les êtres humains possèdent les mêmes organes. En revanche, d'autres caractères génétiques plus particuliers (traits physiques, prédisposition à certaines maladies) sont transmis d'une génération à l'autre au moment de la fusion des cellules sexuelles. Ce mode de transmission est appelé l'hérédité.

L'activité cellulaire
La division cellulaire et la synthèse des protéines

À l'image des organismes vivants complexes, les cellules de notre corps naissent et meurent. Leur durée de vie est cependant très inégale : quelques heures pour les globules blancs, mais quatre mois pour les globules rouges. Lorsqu'elles disparaissent, la plupart des cellules sont remplacées par des cellules identiques. Leur vie peut donc être décrite comme un cycle pendant lequel elles préparent et accomplissent leur reproduction par division cellulaire.

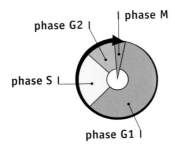

phase M
phase G2
phase S
phase G1

Le **cycle cellulaire** comprend quatre phases successives : les trois phases de l'interphase (phases G1, S et G2) et la phase M. Les phases G1 et G2 sont des phases de croissance et d'intense métabolisme cellulaire. G1 est la phase dont la durée est la plus longue et la plus variable (de 10 heures à plusieurs mois selon les cellules, voire toute une vie pour les neurones). G2 dure de 1 à 2 heures. La phase S, qui peut durer de 4 à 8 heures, désigne la période pendant laquelle a lieu la réplication de l'ADN. Quant à la phase M, elle correspond à la division cellulaire proprement dite et ne dure que quelques minutes.

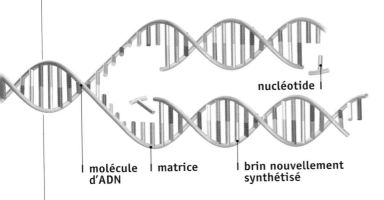

nucléotide

molécule d'ADN | matrice | brin nouvellement synthétisé

LA RÉPLICATION DE L'ADN

Une étape indispensable à la division cellulaire consiste à copier le matériel génétique de la cellule, c'est-à-dire son ADN. Pour cela, les deux brins de la double hélice se dissocient et servent de matrice pour la synthèse de deux nouveaux brins selon la loi d'appariement des bases. Lorsque la molécule d'ADN a été totalement répliquée, la cellule possède deux molécules absolument identiques.

LA DIVISION CELLULAIRE

La division cellulaire, ou mitose, comprend plusieurs étapes bien déterminées. Les molécules d'ADN, déployées sous forme de chromatine pendant l'interphase, s'enroulent et se condensent pendant la prophase ❶, ce qui rend visibles les chromosomes. Le nucléole disparaît et les deux paires de centrioles s'éloignent l'une de l'autre et migrent vers les deux pôles de la cellule, tandis qu'un système de microfilaments, le fuseau mitotique, se met en place entre ces deux pôles. Peu à peu, la membrane nucléaire se désagrège et les chromosomes se déplacent le long des filaments du fuseau mitotique. Au cours de la métaphase ❷, les chromosomes s'alignent précisément au centre de la cellule. Lorsque leurs centromères se divisent, c'est l'anaphase ❸ : les chromatides, devenues des chromosomes à part entière, sont attirées vers un pôle ou l'autre de la cellule. La télophase ❹ désigne la phase pendant laquelle un nouveau noyau se forme à chacun des pôles. Les chromosomes se déroulent pour reprendre l'apparence de chromatine, tandis qu'une nouvelle membrane nucléaire se met en place. Le fuseau mitotique disparaît et le cytoplasme commence à se séparer, au cours d'une phase appelée cytocinèse ❺. À l'issue du processus, la cellule d'origine est remplacée par deux nouvelles cellules identiques ❻.

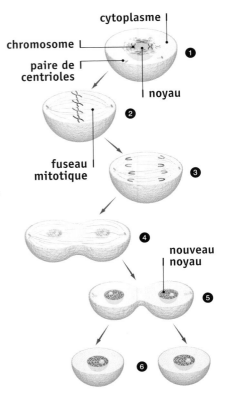

cytoplasme
chromosome
paire de centrioles
noyau
fuseau mitotique
nouveau noyau

LA SYNTHÈSE DES PROTÉINES

Les protéines sont des molécules géantes formées par l'assemblage de plusieurs acides aminés. Certaines jouent des rôles spécifiques dans le fonctionnement du corps (hormones, anticorps, enzymes), alors que d'autres constituent sa matière vivante. La synthèse des protéines, qui est l'une des fonctions principales de la cellule, s'effectue à partir des instructions codées par les **gènes**, des segments plus ou moins longs de la molécule d'ADN. Chaque gène se distingue par une succession particulière de bases azotées. La synthèse d'une protéine consiste à transcrire cette séquence sur une molécule messagère, puis à la traduire en la séquence d'acides aminés qui compose la protéine.

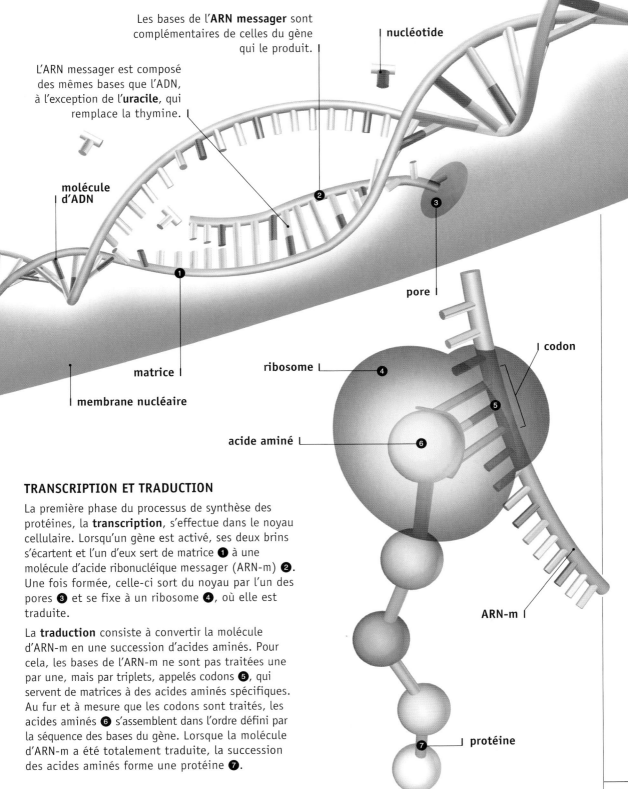

Les bases de l'**ARN messager** sont complémentaires de celles du gène qui le produit.

L'ARN messager est composé des mêmes bases que l'ADN, à l'exception de l'**uracile**, qui remplace la thymine.

nucléotide

molécule d'ADN

pore

matrice

membrane nucléaire

ribosome

codon

acide aminé

ARN-m

protéine

TRANSCRIPTION ET TRADUCTION

La première phase du processus de synthèse des protéines, la **transcription**, s'effectue dans le noyau cellulaire. Lorsqu'un gène est activé, ses deux brins s'écartent et l'un d'eux sert de matrice ❶ à une molécule d'acide ribonucléique messager (ARN-m) ❷. Une fois formée, celle-ci sort du noyau par l'un des pores ❸ et se fixe à un ribosome ❹, où elle est traduite.

La **traduction** consiste à convertir la molécule d'ARN-m en une succession d'acides aminés. Pour cela, les bases de l'ARN-m ne sont pas traitées une par une, mais par triplets, appelés codons ❺, qui servent de matrices à des acides aminés spécifiques. Au fur et à mesure que les codons sont traités, les acides aminés ❻ s'assemblent dans l'ordre défini par la séquence des bases du gène. Lorsque la molécule d'ARN-m a été totalement traduite, la succession des acides aminés forme une protéine ❼.

Les tissus du corps

Des assemblages de cellules

Dans le corps humain, les cellules ne fonctionnent pas séparément. Au contraire, elles s'assemblent au sein des différents tissus qui composent les organes de l'organisme. On distingue quatre types de tissus dans le corps humain : les tissus épithéliaux, qui forment le revêtement de nombreuses parties du corps, les tissus conjonctifs, qui jouent surtout un rôle de soutien, les tissus musculaires et les tissus nerveux. Outre des cellules, les tissus contiennent aussi du liquide extracellulaire, dans lequel circulent et se dissolvent les substances nécessaires au fonctionnement du corps (hormones, protéines, vitamines...).

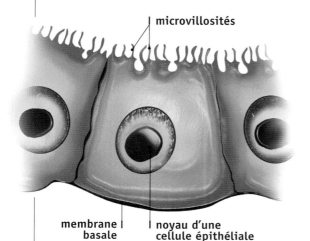

microvillosités

membrane basale

noyau d'une cellule épithéliale

LE TISSU ÉPITHÉLIAL

L'épithélium (ou tissu épithélial) tapisse la plupart des surfaces internes et externes du corps : peau, muqueuses, vaisseaux sanguins, glandes, cavités du système digestif... Cubiques, cylindriques ou aplaties, les cellules épithéliales sont fermement serrées les unes contre les autres de manière à composer des revêtements qui peuvent comprendre une ou plusieurs couches. Elles reposent sur une membrane basale qui les fait communiquer avec les tissus vascularisés sous-jacents. Imperméable à l'extérieur du corps, l'épithélium joue au contraire un rôle d'absorption et de sécrétion à l'intérieur de l'organisme, notamment grâce aux microvillosités qui tapissent certaines cellules épithéliales.

LE TISSU CONJONCTIF

Au contraire de l'épithélium, le tissu conjonctif est constitué de cellules peu nombreuses baignant dans une matrice intercellulaire très abondante, principalement faite de fibres et d'une substance semi-liquide. Les cellules du tissu conjonctif appartiennent surtout à deux catégories : les fibroblastes et les macrophages. La matrice intercellulaire du tissu conjonctif comprend principalement trois types de fibres formées de protéines : les fibres de collagène, les fibres élastiques et les fibres réticulées. La densité et la disposition de ces fibres ainsi que la présence d'autres cellules plus spécifiques donnent au tissu conjonctif des aspects très différents. Les cartilages, les tissus osseux, le sang et la majorité des tissus constituant les organes sont des tissus conjonctifs.

Les **fibres réticulées** forment des réseaux ramifiés solides.

Les **fibres élastiques** ont la propriété de retrouver leur longueur après avoir été étirées.

Les **fibres de collagène**, composées de faisceaux de fibrilles, sont très résistantes. Elles rendent la matrice souple et caoutchouteuse.

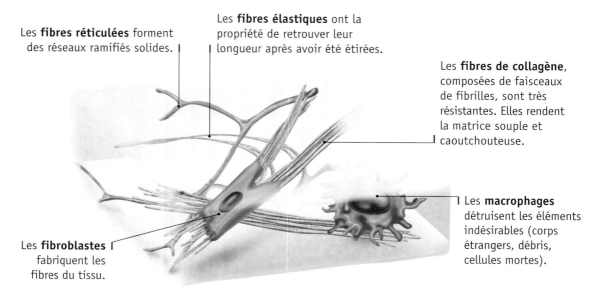

Les **fibroblastes** fabriquent les fibres du tissu.

Les **macrophages** détruisent les éléments indésirables (corps étrangers, débris, cellules mortes).

LE TISSU MUSCULAIRE

Les tissus qui forment les muscles se distinguent par l'assemblage en faisceaux de leurs cellules. Il existe trois types de tissus musculaires, correspondant respectivement aux muscles squelettiques, au muscle cardiaque et aux muscles lisses des viscères.

Les cellules musculaires sont appelées des **fibres**, mais elles ne doivent pas être confondues avec les fibres de protéine présentes dans les tissus conjonctifs.

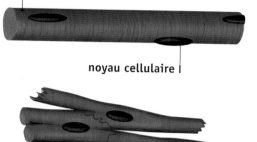

Le **tissu musculaire squelettique** est formé de fibres multinucléaires très allongées. Ces cellules présentent un aspect strié, dû à l'alternance des deux types de filaments qui les composent.

noyau cellulaire

Les fibres du **tissu musculaire cardiaque** sont elles aussi striées, mais elles s'organisent différemment, en dessinant des ramifications nombreuses et serrées.

Le **tissu musculaire lisse** comprend des cellules plus courtes qui présentent la forme de fuseaux. Ces fibres ne possèdent qu'un seul noyau et ne sont pas striées.

LE TISSU NERVEUX

L'encéphale, la moelle épinière et les nerfs sont formés de tissu nerveux, qui consiste en un enchevêtrement dense de cellules. On distingue deux catégories de cellules dans le tissu nerveux : les neurones, qui sont les véritables cellules nerveuses, et les cellules gliales (astrocytes, oligodendrocytes, microgliocytes, cellules de Schwann...). Les cellules gliales sont dix fois plus nombreuses et généralement plus petites que les neurones. Elles ne jouent pas de rôle direct dans les fonctions nerveuses mais soutiennent, protègent et alimentent les neurones. Elles sont également capables de se diviser par mitose, ce que les neurones ne peuvent pas faire.

Les **neurones** sont des cellules hautement spécialisées qui assurent le transport et la transmission des influx nerveux en établissant d'innombrables connexions entre elles.

De très petite taille, les **microgliocytes** débarrassent le tissu nerveux des corps étrangers et des cellules mortes.

neurone

L'**axone** est le prolongement principal du neurone.

Les **oligodendrocytes** sont les cellules gliales les plus nombreuses. Ils possèdent des prolongements qui s'enroulent autour des axones des neurones du système nerveux central.

Les nombreux prolongements des **astrocytes** se terminent par des « pieds », qui forment des barrières, dites hémato-encéphaliques, entre les neurones et les capillaires sanguins.

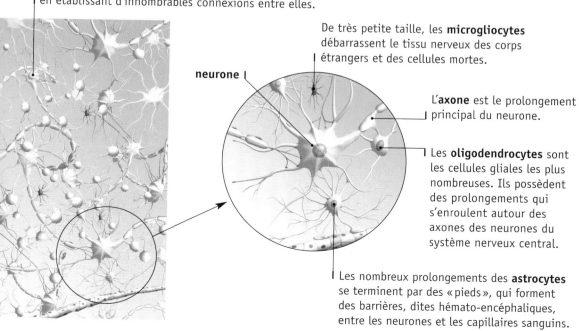

La matière du corps

Des phalanges aux os du crâne, les **206 os qui composent le squelette humain** jouent un rôle essentiel de soutien et de protection. Mais l'architecture du corps humain n'est pas déterminée seulement par son squelette : notre organisme compte aussi plus de **600 muscles qui nous permettent de contrôler nos membres** et de nous déplacer. Solide et efficace, cette structure de base ne serait toutefois pas fonctionnelle sans l'enveloppe protectrice qui la recouvre. Avec 1,5 m² de surface totale, la peau constitue le plus grand organe du corps humain.

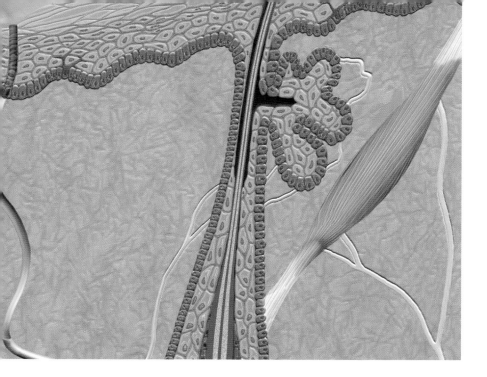

L'architecture du corps

La peau

L'enveloppe protectrice du corps

On le réalise rarement, mais la peau est le plus grand organe de notre corps : celle d'un adulte couvre 1,75 m² et représente 7 % de sa masse corporelle totale. Cette enveloppe est constituée d'une couche superficielle, l'épiderme, et d'une couche plus profonde, le derme. Grâce aux différents types de cellules qui la composent (kératinocytes, mélanocytes, récepteurs sensitifs), la peau remplit plusieurs fonctions importantes de protection contre l'environnement extérieur.

LES COUCHES DE L'ÉPIDERME

L'épiderme est un tissu épithélial constitué essentiellement de kératinocytes. Ces cellules naissent dans la couche la plus profonde de l'épiderme (la couche basale), avant d'être repoussées dans la couche épineuse par des cellules plus jeunes. En migrant, les kératinocytes s'imprègnent d'une protéine fibreuse, la kératine, qui remplace progressivement leur cytoplasme. Lorsque les cellules parviennent dans la couche la plus externe (la couche cornée), leur noyau s'est totalement désintégré. Mortes et aplaties, ces cellules kératinisées imperméabilisent la peau.

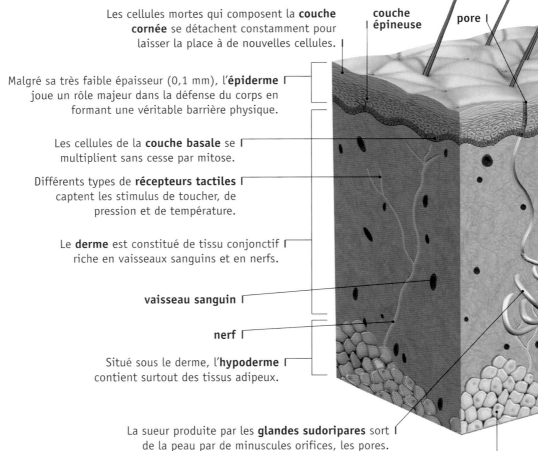

Les cellules mortes qui composent la **couche cornée** se détachent constamment pour laisser la place à de nouvelles cellules.

couche épineuse

pore

Malgré sa très faible épaisseur (0,1 mm), l'**épiderme** joue un rôle majeur dans la défense du corps en formant une véritable barrière physique.

Les cellules de la **couche basale** se multiplient sans cesse par mitose.

Différents types de **récepteurs tactiles** captent les stimulus de toucher, de pression et de température.

Le **derme** est constitué de tissu conjonctif riche en vaisseaux sanguins et en nerfs.

vaisseau sanguin

nerf

Situé sous le derme, l'**hypoderme** contient surtout des tissus adipeux.

La sueur produite par les **glandes sudoripares** sort de la peau par de minuscules orifices, les pores.

tissu adipeux

LES DÉFENSES DE LA PEAU

Notre peau dispose de plusieurs moyens de défense contre les agressions. L'épiderme contient deux protéines : la kératine, qui l'imperméabilise, et la mélanine, qui bloque les rayons ultraviolets. La sueur joue un rôle de protection contre certaines bactéries, de refroidissement de la peau et d'évacuation de certaines substances. Le sébum est libéré par les glandes sébacées rattachées aux follicules pileux. Il s'agit d'une substance grasse qui protège la peau du dessèchement et de certaines bactéries. En outre, des récepteurs sensoriels détectent les blessures, ce qui permet au système nerveux central de réagir.

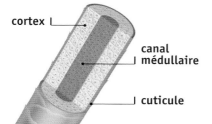

cortex

canal
médullaire

cuticule

Fabriqués par les follicules pileux du derme, les **poils** poussent sur la plus grande partie de notre peau. Ils sont dotés de glandes sébacées, qui les enduisent de sébum, de muscles arrecteurs, qui les dressent en cas de besoin (froid ou peur), et de récepteurs nerveux, qui détectent le moindre frôlement.

DES PIGMENTS CONTRE LE SOLEIL

La couche la plus profonde de l'épiderme contient des cellules spécialisées, les mélanocytes. Activés par une hormone hypophysaire appelée mélanostimuline, les mélanocytes produisent de la mélanine, un pigment de couleur brun-noir. Libérées par les prolongements cellulaires des mélanocytes, les molécules de mélanine pénètrent dans les kératinocytes et se placent au-dessus des noyaux cellulaires, de manière à les protéger contre les rayons ultraviolets, potentiellement cancérigènes.

mélanine

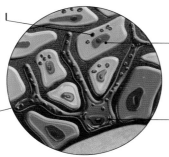

kératinocyte

Les **mélanocytes** composent 8 % des cellules de l'épiderme. La couleur de la peau ne dépend pas de leur nombre mais de leur taille et de leur activité.

Les **glandes sébacées** produisent du sébum, une substance qui huile les poils et la peau.

muscle arrecteur

follicule pileux

COMMENT LA PEAU CICATRISE

Lorsque la peau est blessée profondément ❶, jusqu'au derme ou même à l'hypoderme, une substance générée par la coagulation du sang, la fibrine ❷, apparaît rapidement au fond de la blessure et forme un caillot. Les cellules de l'épiderme migrent le long des parois de la blessure et se rejoignent au fond de la plaie, transformant le caillot en croûte ❸. Parallèlement, les fibroblastes (cellules jeunes) ❹ et les capillaires (petits vaisseaux sanguins) du derme se multiplient pour reconstituer les tissus ❺. La croissance des tissus repousse la croûte vers la surface normale de l'épiderme, où se forme parfois une petite boursouflure, la cicatrice ❻.

| épiderme | derme | fibrine | croûte | cicatrice |

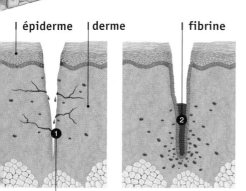
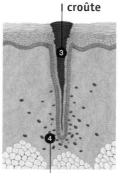
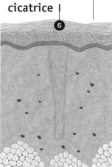
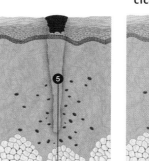

blessure profonde   fibroblastes   tissu reconstitué

La structure des os

Des tissus flexibles et solides

À poids égal, un os est six fois plus solide qu'une barre d'acier. Cette remarquable résistance provient de la nature de ses tissus. Tous les os sont constitués d'un assemblage de tissus compacts et de tissus spongieux, dont la proportion et la disposition diffèrent selon les types d'os. Ces tissus contiennent du collagène, une protéine qui procure aux os leur flexibilité, et des sels minéraux (calcium, phosphore), responsables de leur solidité.

Les **os longs**, comme le fémur, se composent d'une partie centrale cylindrique creuse, la diaphyse, et de deux renflements aux extrémités, les épiphyses. Les métaphyses sont des parties intermédiaires.

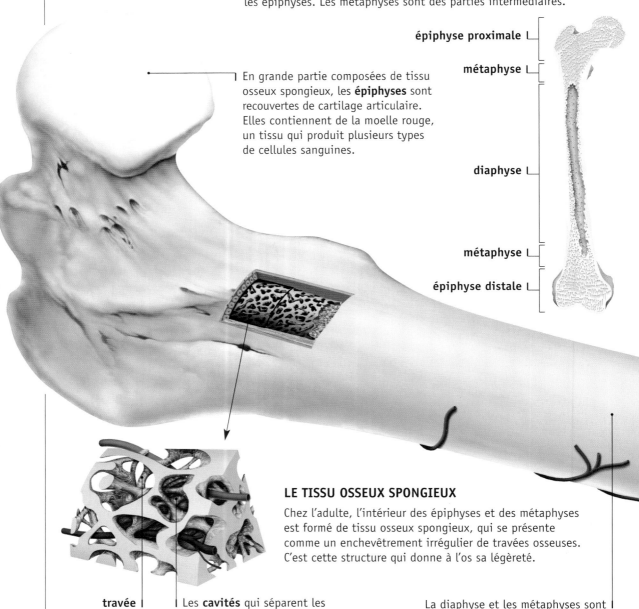

épiphyse proximale

métaphyse

diaphyse

métaphyse

épiphyse distale

En grande partie composées de tissu osseux spongieux, les **épiphyses** sont recouvertes de cartilage articulaire. Elles contiennent de la moelle rouge, un tissu qui produit plusieurs types de cellules sanguines.

LE TISSU OSSEUX SPONGIEUX

Chez l'adulte, l'intérieur des épiphyses et des métaphyses est formé de tissu osseux spongieux, qui se présente comme un enchevêtrement irrégulier de travées osseuses. C'est cette structure qui donne à l'os sa légèreté.

travée

Les **cavités** qui séparent les travées sont occupées par de la moelle osseuse, des vaisseaux sanguins et des nerfs.

La diaphyse et les métaphyses sont totalement couvertes par une fine membrane vascularisée, le **périoste**.

LE TISSU OSSEUX COMPACT

La couche externe des os est formée de tissu osseux compact, un tissu très dense qui offre une remarquable résistance à la pression et aux chocs. Le tissu compact se compose essentiellement d'ostéons, des petits cylindres faits de plusieurs lamelles concentriques de matrice dure. Serrés les uns contre les autres, les ostéons communiquent entre eux par des canaux longitudinaux (canaux de Havers) et transversaux (canaux de Volkmann) qu'empruntent des vaisseaux sanguins et lymphatiques.

Malgré sa densité et sa dureté, le tissu osseux compact est un tissu vivant. Les minuscules cavités (les lacunes) et canaux (les canalicules) qui s'ouvrent entre les lamelles sont en effet occupés par des ostéocytes, des cellules osseuses matures chargées de nourrir le tissu osseux.

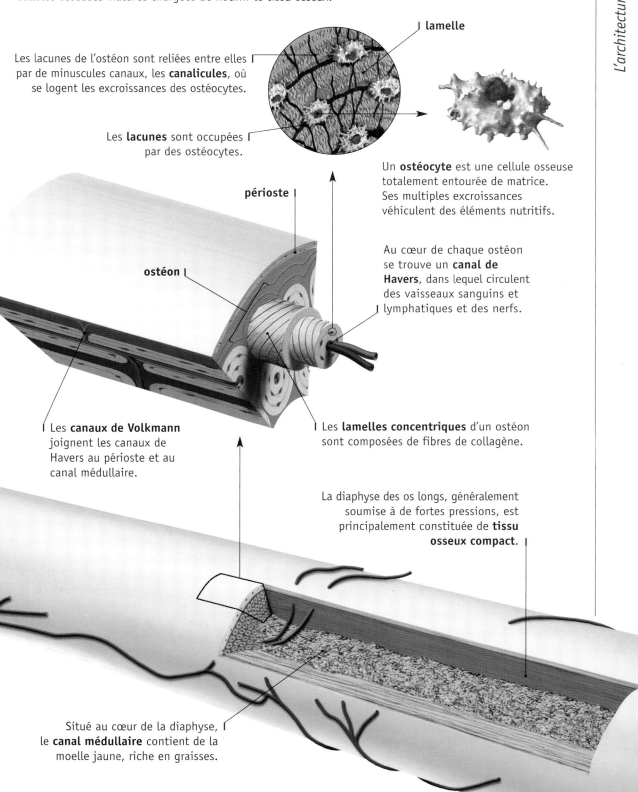

lamelle

Les lacunes de l'ostéon sont reliées entre elles par de minuscules canaux, les **canalicules**, où se logent les excroissances des ostéocytes.

Les **lacunes** sont occupées par des ostéocytes.

Un **ostéocyte** est une cellule osseuse totalement entourée de matrice. Ses multiples excroissances véhiculent des éléments nutritifs.

périoste

Au cœur de chaque ostéon se trouve un **canal de Havers**, dans lequel circulent des vaisseaux sanguins et lymphatiques et des nerfs.

ostéon

Les **canaux de Volkmann** joignent les canaux de Havers au périoste et au canal médullaire.

Les **lamelles concentriques** d'un ostéon sont composées de fibres de collagène.

La diaphyse des os longs, généralement soumise à de fortes pressions, est principalement constituée de **tissu osseux compact**.

Situé au cœur de la diaphyse, le **canal médullaire** contient de la moelle jaune, riche en graisses.

La croissance des os

Du cartilage au tissu osseux

La formation des os commence dès le stade embryonnaire, mais de nombreuses parties du squelette sont encore constituées de cartilage à la naissance. Les os n'atteignent leur taille définitive qu'à l'âge adulte. Cette croissance s'effectue par un processus nommé ossification: les cellules cartilagineuses se multiplient, meurent et sont remplacées par des cellules osseuses.

L'OSSIFICATION ENDOCHONDRALE

Le squelette du fœtus est formé d'**ébauches cartilagineuses** présentant grossièrement la forme d'os. À partir de la sixième semaine de grossesse, les cellules cartilagineuses situées au centre de l'ébauche grossissent, éclatent et meurent, ce qui provoque leur calcification. Parallèlement, des ostéoblastes (cellules productrices de tissu osseux) se multiplient sur le périchondre.

Après trois mois environ de vie fœtale, un premier vaisseau sanguin pénètre dans l'ébauche calcifiée et permet l'apparition d'un **centre primaire d'ossification**. Les ostéoblastes déposent du tissu osseux sur le cartilage calcifié et forment ainsi des travées osseuses. Tandis que le processus s'étend vers les épiphyses, les travées du centre de la diaphyse sont progressivement détruites par d'autres cellules, ce qui permet à l'os de conserver sa légèreté.

L'ébauche est formée
de **cartilage hyalin**.

Le cartilage est recouvert par une membrane, le **périchondre**.

Quand les ostéoblastes se mettent à fabriquer du tissu osseux, le périchondre se transforme en **périoste**.

cartilage calcifié

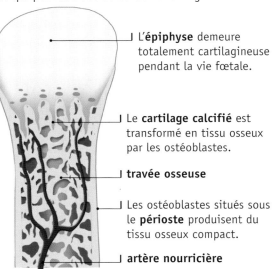

L'**épiphyse** demeure totalement cartilagineuse pendant la vie fœtale.

Le **cartilage calcifié** est transformé en tissu osseux par les ostéoblastes.

travée osseuse

Les ostéoblastes situés sous le **périoste** produisent du tissu osseux compact.

artère nourricière

LA CROISSANCE DES OS DE LA MAIN

À la naissance ❶, le poignet est fait de cartilage. Les os des doigts (phalanges) et de la paume (os métacarpiens) sont encore très incomplets. Vers l'âge de quatre ans ❷, les cartilages carpiens commencent à s'ossifier pour former le poignet, tandis que les os métacarpiens et les phalanges se développent. À l'approche de la puberté ❸, la plupart des os du poignet sont formés. Ceux de la paume et des doigts continuent de s'allonger. À l'âge adulte ❹, tous les os de la main et du poignet ont terminé leur croissance.

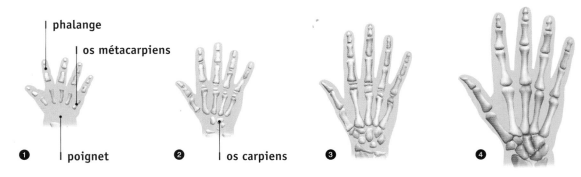

phalange

os métacarpiens

❶ poignet   ❷ os carpiens   ❸   ❹

À la naissance, la diaphyse présente une cavité centrale (le canal médullaire), entourée d'un cylindre de tissu osseux compact. Des artères pénètrent dans les épiphyses, ce qui provoque l'apparition de **centres secondaires d'ossification**. Le processus d'ossification y est semblable à celui de la diaphyse, à la différence que les travées osseuses n'y sont pas détruites. Les épiphyses ne contiennent donc pas de canal médullaire mais elles sont au contraire remplies de tissu osseux spongieux, riche en moelle rouge.

La destruction du cartilage et son remplacement par du tissu osseux laisse subsister une mince couche cartilagineuse en surface de l'épiphyse, le cartilage articulaire. De même, l'épiphyse et la diaphyse continuent d'être séparées l'une de l'autre par le **cartilage de conjugaison**, qui permet au processus d'ossification de se poursuivre et à l'os de s'allonger. À l'âge adulte, cette bande de cartilage finit par s'ossifier, mais elle demeure visible sous la forme d'une ligne épiphysaire.

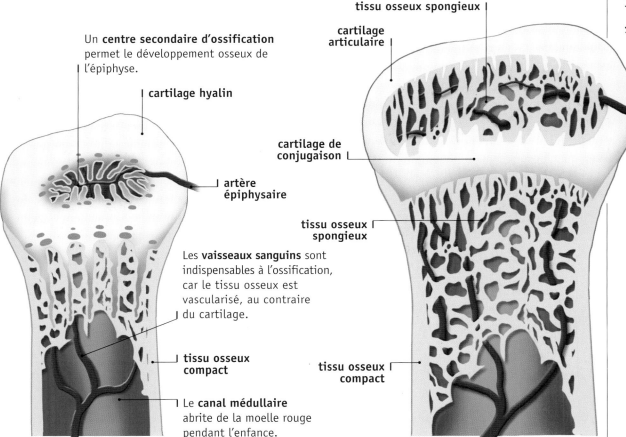

Un **centre secondaire d'ossification** permet le développement osseux de l'épiphyse.

cartilage hyalin

artère épiphysaire

tissu osseux spongieux

cartilage articulaire

cartilage de conjugaison

tissu osseux spongieux

Les **vaisseaux sanguins** sont indispensables à l'ossification, car le tissu osseux est vascularisé, au contraire du cartilage.

tissu osseux compact

Le **canal médullaire** abrite de la moelle rouge pendant l'enfance.

tissu osseux compact

LA RÉPARATION D'UN OS BRISÉ

Lorsqu'un os est fracturé, les vaisseaux sanguins qu'il contient se rompent. Le sang s'écoule dans la blessure où, après quelques heures, il forme un caillot appelé hématome ❶. Grâce à des cellules spécialisées (les fibroblastes et les chondroblastes), un tissu mou, le cal fibrocartilagineux ❷, remplace le caillot en quelques semaines et relie les deux parties de l'os. Peu à peu, le cal fibrocartilagineux est envahi par des ostéoblastes, qui le convertissent en cal osseux ❸. Après quelques mois, le tissu osseux compact s'est totalement reconstruit et seul un épaississement ❹ de l'os subsiste parfois à la hauteur de la fracture.

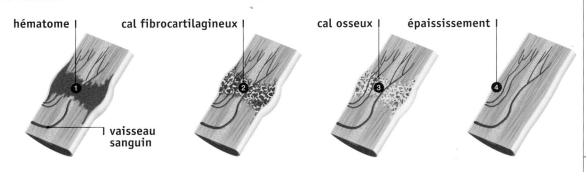

hématome

cal fibrocartilagineux

cal osseux

épaississement

vaisseau sanguin

Le squelette humain

La charpente osseuse du corps

Comme les autres vertébrés, l'être humain possède un squelette interne qui sert de support aux différents muscles de son corps, mais aussi de protection aux organes vitaux. L'agencement et l'articulation des os du squelette déterminent également la nature des mouvements du corps.

Le squelette humain adulte compte généralement 206 os, mais ce nombre peut varier légèrement d'un individu à l'autre : certaines personnes possèdent par exemple une paire de côtes supplémentaire. Les os du corps humain se répartissent entre le squelette axial (les os du crâne et de la face, les vertèbres, les côtes, le sternum) et le squelette appendiculaire, formé des membres supérieurs et inférieurs ainsi que des ceintures osseuses (os des épaules et des hanches) qui les rattachent au squelette axial.

LE BASSIN DE L'HOMME ET DE LA FEMME

Même si le squelette de la femme est généralement plus petit que celui de l'homme, il n'existe pas de différences fondamentales entre eux : seul le bassin diffère sensiblement d'un sexe à l'autre. Vu de face, le bassin de la femme apparaît plus large, quoique moins massif, que celui de l'homme. Les ischions sont également plus écartés, ce qui ouvre plus largement le détroit inférieur, l'ouverture formée par les os du bassin et le sacrum. Cette disposition anatomique facilite le passage du bébé au moment de l'accouchement. Elle change aussi l'orientation de la cavité cotyloïde, ce qui a des conséquences sur la marche.

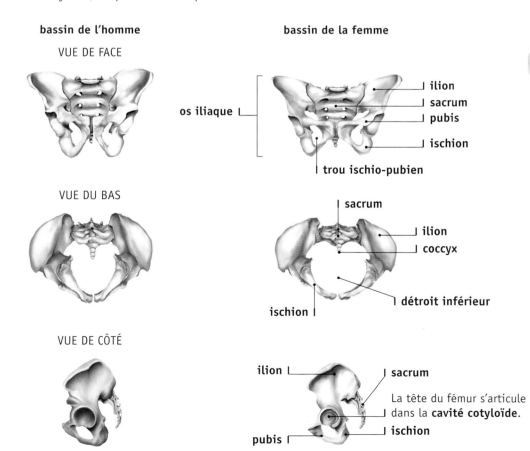

bassin de l'homme   bassin de la femme

VUE DE FACE

os iliaque

ilion
sacrum
pubis

ischion

trou ischio-pubien

VUE DU BAS

sacrum

ilion
coccyx

détroit inférieur

ischion

VUE DE CÔTÉ

ilion

sacrum

La tête du fémur s'articule dans la **cavité cotyloïde**.

ischion

pubis

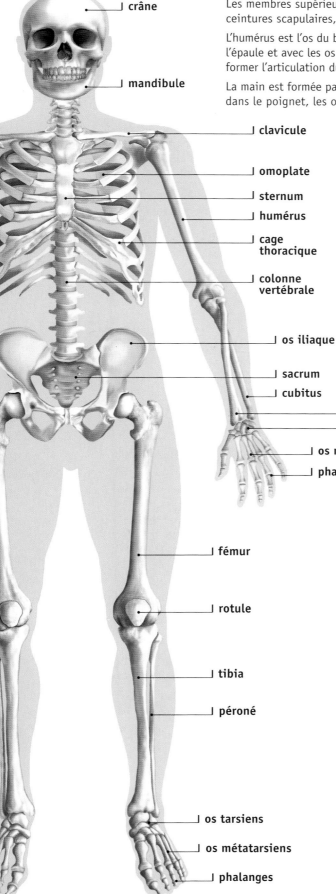

LES MEMBRES SUPÉRIEURS

Les membres supérieurs sont fixés au squelette axial par les deux ceintures scapulaires, qui regroupent les omoplates et les clavicules.

L'humérus est l'os du bras. Il s'articule avec l'omoplate au niveau de l'épaule et avec les os de l'avant-bras, le radius et le cubitus, pour former l'articulation du coude.

La main est formée par les os carpiens, qui s'articulent avec le radius dans le poignet, les os métacarpiens et les phalanges des doigts.

LE SQUELETTE AXIAL

On appelle squelette axial l'ensemble des 80 os du crâne, de la colonne vertébrale et du thorax. Outre leur rôle protecteur pour les organes vitaux (le cerveau, le cœur, les poumons, la moelle épinière), ces os structurent le corps et servent de support pour les os des membres.

LES MEMBRES INFÉRIEURS

Le bassin, qui se compose des deux os iliaques et du sacrum, rattache les membres inférieurs au squelette axial. Il joue aussi un rôle protecteur pour les viscères de la cavité pelvienne (rectum, vessie, organes génitaux internes). Chaque os iliaque résulte de la fusion de trois os : l'ilion, le pubis et l'ischion.

Articulé dans le bassin, le fémur est l'os le plus long du corps humain. À son extrémité inférieure, il forme avec le tibia l'articulation du genou, que protège la rotule. Le tibia et le péroné sont étroitement liés par des ligaments courts et denses.

Le pied se compose de 26 os. On distingue les os tarsiens, qui structurent la cheville et le talon, les os métatarsiens, qui forment la plante du pied, et les phalanges, qui sont les os des orteils.

Labels on figure:
- crâne
- mandibule
- clavicule
- omoplate
- sternum
- humérus
- cage thoracique
- colonne vertébrale
- os iliaque
- sacrum
- cubitus
- radius
- os carpiens
- os métacarpiens
- phalanges
- fémur
- rotule
- tibia
- péroné
- os tarsiens
- os métatarsiens
- phalanges

L'architecture du corps

Les types d'os

Des formes déterminées par les fonctions

Les quelque 200 os qui composent le squelette humain ne présentent pas tous la même forme. On distingue généralement quatre types d'os selon leur apparence : les os longs, les os plats, les os courts et les os irréguliers. Cette classification met en lumière l'adéquation entre la forme d'un os et sa fonction.

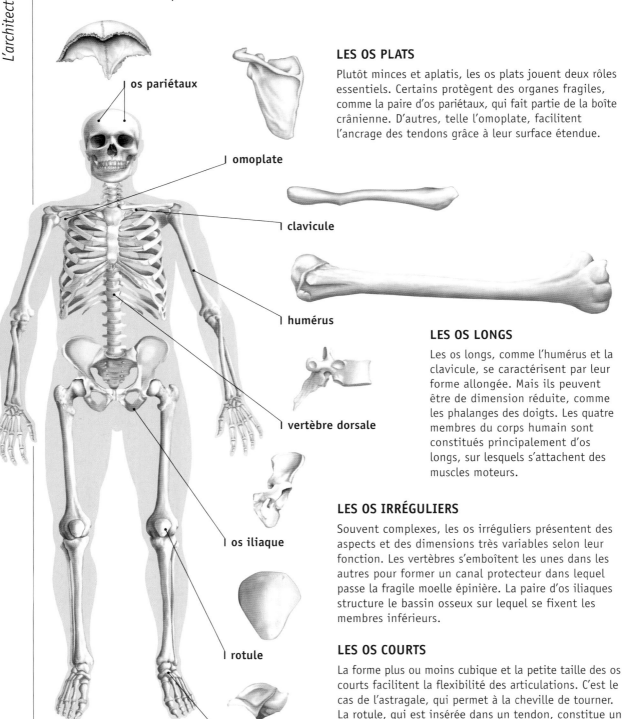

os pariétaux

omoplate

clavicule

humérus

vertèbre dorsale

os iliaque

rotule

astragale

LES OS PLATS

Plutôt minces et aplatis, les os plats jouent deux rôles essentiels. Certains protègent des organes fragiles, comme la paire d'os pariétaux, qui fait partie de la boîte crânienne. D'autres, telle l'omoplate, facilitent l'ancrage des tendons grâce à leur surface étendue.

LES OS LONGS

Les os longs, comme l'humérus et la clavicule, se caractérisent par leur forme allongée. Mais ils peuvent être de dimension réduite, comme les phalanges des doigts. Les quatre membres du corps humain sont constitués principalement d'os longs, sur lesquels s'attachent des muscles moteurs.

LES OS IRRÉGULIERS

Souvent complexes, les os irréguliers présentent des aspects et des dimensions très variables selon leur fonction. Les vertèbres s'emboîtent les unes dans les autres pour former un canal protecteur dans lequel passe la fragile moelle épinière. La paire d'os iliaques structure le bassin osseux sur lequel se fixent les membres inférieurs.

LES OS COURTS

La forme plus ou moins cubique et la petite taille des os courts facilitent la flexibilité des articulations. C'est le cas de l'astragale, qui permet à la cheville de tourner. La rotule, qui est insérée dans un tendon, constitue un exemple particulier d'os court qu'on nomme sésamoïde en raison de sa ressemblance avec une graine de sésame.

La tête

Un assemblage d'os plats et d'os irréguliers

L'observation attentive d'un crâne permet d'y déceler de fines lignes irrégulières. Ce sont des sutures, des jointures rigides à la frontière des différents os crâniens. Le crâne n'est en effet pas formé d'un seul os, mais de huit éléments différents qui se soudent progressivement les uns aux autres au cours de la croissance. Plus nombreux, les os de la face adoptent des formes irrégulières. Ils dessinent les cavités de la bouche, des fosses nasales, des orbites et des sinus.

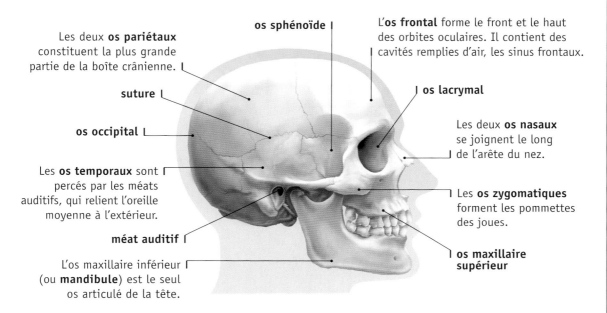

os sphénoïde

L'**os frontal** forme le front et le haut des orbites oculaires. Il contient des cavités remplies d'air, les sinus frontaux.

Les deux **os pariétaux** constituent la plus grande partie de la boîte crânienne.

os lacrymal

suture

Les deux **os nasaux** se joignent le long de l'arête du nez.

os occipital

Les **os temporaux** sont percés par les méats auditifs, qui relient l'oreille moyenne à l'extérieur.

Les **os zygomatiques** forment les pommettes des joues.

méat auditif

os maxillaire supérieur

L'os maxillaire inférieur (ou **mandibule**) est le seul os articulé de la tête.

INTÉRIEUR DE LA TÊTE

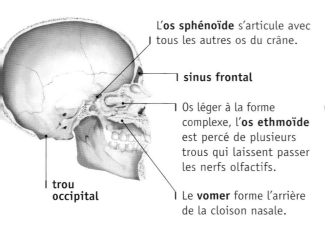

L'**os sphénoïde** s'articule avec tous les autres os du crâne.

sinus frontal

Os léger à la forme complexe, l'**os ethmoïde** est percé de plusieurs trous qui laissent passer les nerfs olfactifs.

trou occipital

Le **vomer** forme l'arrière de la cloison nasale.

FACE INFÉRIEURE DE LA TÊTE

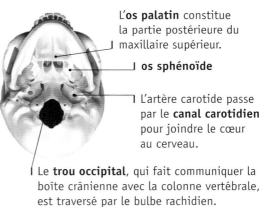

L'**os palatin** constitue la partie postérieure du maxillaire supérieur.

os sphénoïde

L'artère carotide passe par le **canal carotidien** pour joindre le cœur au cerveau.

Le **trou occipital**, qui fait communiquer la boîte crânienne avec la colonne vertébrale, est traversé par le bulbe rachidien.

LE CRÂNE D'UN NOUVEAU-NÉ

À la naissance, les os du crâne ne sont pas totalement soudés. Liés par des membranes, les fontanelles, ils conservent une certaine mobilité, ce qui permet à la tête de se déformer durant l'accouchement puis au crâne de s'adapter à la croissance du cerveau pendant les premières années de la vie de l'enfant.

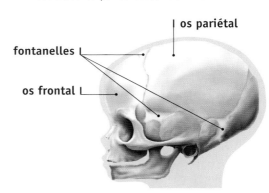

os pariétal

fontanelles

os frontal

La colonne vertébrale

L'axe central du corps

La colonne vertébrale, aussi appelée rachis, constitue l'axe central du corps humain. Elle s'étend de l'arrière du crâne jusqu'au bassin et consiste en une chaîne de petits os, les vertèbres, qui abritent la moelle épinière et servent de points d'attache aux côtes et aux muscles.

LES VERTÈBRES

L'être humain possède 33 vertèbres, que les anatomistes ont réparties en cinq catégories : cervicales, thoraciques (ou dorsales), lombaires, sacrées et coccygiennes. Malgré quelques différences de proportions, toutes les vertèbres présentent une structure semblable : elles possèdent toutes un corps, auquel se rattachent plusieurs excroissances osseuses, les apophyses. Ces éléments s'organisent de manière à entourer un orifice central, le trou vertébral, par lequel passe la moelle épinière.

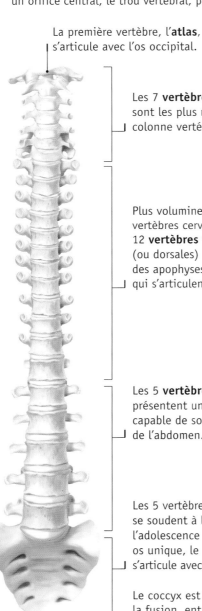

La première vertèbre, l'**atlas**, s'articule avec l'os occipital.

Les 7 **vertèbres cervicales** sont les plus mobiles de la colonne vertébrale.

Plus volumineuses que les vertèbres cervicales, les 12 **vertèbres thoraciques** (ou dorsales) possèdent aussi des apophyses plus longues, qui s'articulent avec les côtes.

Les 5 **vertèbres lombaires** présentent un corps massif, capable de soutenir le poids de l'abdomen.

Les 5 vertèbres sacrées se soudent à la fin de l'adolescence pour former un os unique, le **sacrum**, qui s'articule avec les os du bassin.

Le coccyx est constitué par la fusion, entre l'âge de 20 et 30 ans, des 4 **vertèbres coccygiennes** atrophiées.

VERTÈBRES CERVICALES

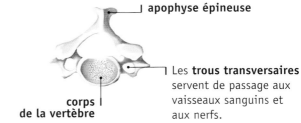

apophyse épineuse

Les **trous transversaires** servent de passage aux vaisseaux sanguins et aux nerfs.

corps de la vertèbre

VERTÈBRES THORACIQUES

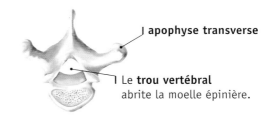

apophyse transverse

Le **trou vertébral** abrite la moelle épinière.

VERTÈBRES LOMBAIRES

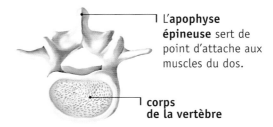

L'**apophyse épineuse** sert de point d'attache aux muscles du dos.

corps de la vertèbre

SACRUM ET COCCYX

L'**aile du sacrum** est formée par la fusion des apophyses transverses des vertèbres sacrées.

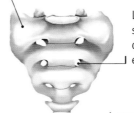

Les **trous sacrés** sont traversés par des vaisseaux sanguins et par des nerfs.

coccyx

L'ARTICULATION DES VERTÈBRES

À l'exception de celles qui forment le sacrum et le coccyx, toutes les vertèbres sont mobiles. Elles s'articulent entre elles par l'intermédiaire de petites excroissances, les apophyses articulaires inférieures et supérieures. Le corps de chaque vertèbre repose en outre sur un disque intervertébral, une masse gélatineuse dont le rôle est d'amortir les chocs. Cet agencement particulier rend la colonne vertébrale à la fois solide et très flexible.

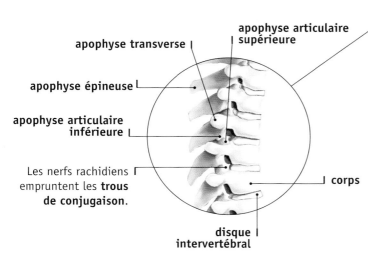

apophyse transverse

apophyse articulaire supérieure

apophyse épineuse

apophyse articulaire inférieure

Les nerfs rachidiens empruntent les **trous de conjugaison.**

corps

disque intervertébral

LA CAGE THORACIQUE

Le thorax, qui désigne la partie supérieure du tronc humain, contient les poumons et le cœur. Ces organes vitaux sont protégés par la cage thoracique, une cage osseuse formée par douze paires de côtes articulées avec les vertèbres thoraciques et le sternum. Les dix premières paires de côtes sont fixées au sternum par l'intermédiaire de cartilages costaux, dont la souplesse permet à la cage thoracique de se déformer pendant la respiration. Les deux paires de côtes les plus basses, qui ne sont pas rattachées au sternum, sont connues sous le nom de côtes flottantes.

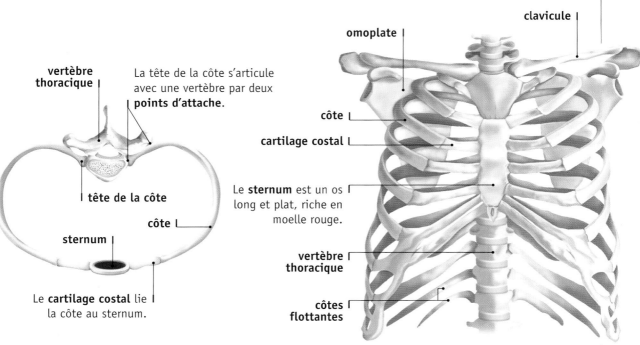

vertèbre thoracique

La tête de la côte s'articule avec une vertèbre par deux **points d'attache.**

tête de la côte

côte

sternum

Le **cartilage costal** lie la côte au sternum.

omoplate

clavicule

côte

cartilage costal

Le **sternum** est un os long et plat, riche en moelle rouge.

vertèbre thoracique

côtes flottantes

La main et le pied

Les extrémités des membres

Avec l'évolution de l'espèce humaine, la fonction des mains et des pieds s'est nettement différenciée : les premières servent à saisir, tandis que les seconds assurent la stabilité et le déplacement du corps. Malgré ces différences de fonction, le squelette de la main et celui du pied conservent de très grandes similitudes. Dans l'un comme dans l'autre, on dénombre cinq doigts formés de phalanges, une partie centrale constituée de cinq os longs et une partie postérieure, composée d'os courts, qui assure l'articulation du membre. Ensemble, nos deux mains et nos deux pieds comptent 106 os, ce qui représente plus de la moitié de notre squelette.

LES OS DE LA MAIN

La paume de la main est formée par les cinq os métacarpiens. Chacun d'eux se prolonge par les phalanges, qui sont les os des doigts. Chaque doigt compte trois phalanges successives (phalange proximale, phalange médiane et phalange distale), sauf le pouce, qui n'en a que deux (phalange proximale et phalange distale). L'assemblage complexe des huit os carpiens constitue le poignet. Deux d'entre eux, l'os scaphoïde et l'os semi-lunaire, s'articulent avec le radius.

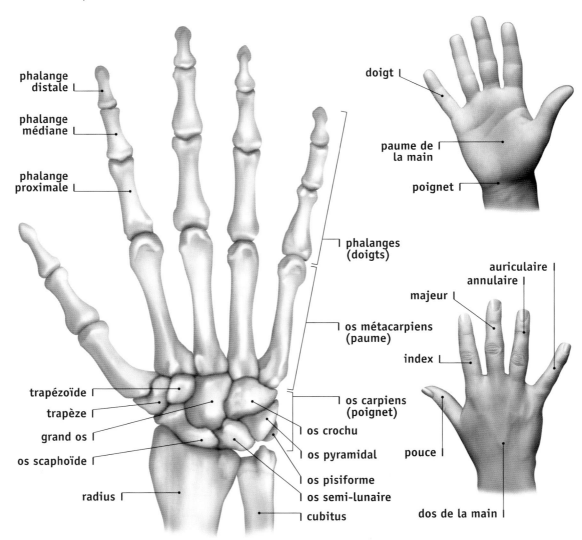

phalange distale
phalange médiane
phalange proximale

doigt

paume de la main

poignet

phalanges (doigts)

auriculaire
annulaire
majeur

os métacarpiens (paume)

index

trapézoïde
trapèze
grand os
os scaphoïde

os carpiens (poignet)

os crochu

os pyramidal

pouce

os pisiforme

os semi-lunaire

radius

cubitus

dos de la main

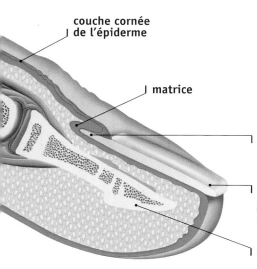

couche cornée
de l'épiderme

matrice

LES ONGLES

L'extrémité de chacun des doigts et des orteils est dotée d'un ongle. Cette petite plaque protectrice est constituée de cellules épidermiques cornées, produites par une matrice située au-dessus de la phalange distale. Sa dureté est due à la très forte concentration d'une protéine, la kératine.

La **racine de l'ongle** est protégée par un repli de la peau, la cuticule.

L'**ongle** du doigt pousse d'un dixième de millimètre chaque jour en moyenne. Il se renouvelle donc totalement en six mois environ.

phalange distale

LES OS DU PIED

Le squelette du pied adopte une structure similaire à celui de la main. Un groupe de sept os constitue le tarse, qui forme la cheville et s'articule avec le tibia et le péroné. Il est suivi des cinq os du métatarse, qui compose le pied proprement dit, puis des phalanges. Comme les doigts de la main, chaque orteil est formé de trois phalanges (proximale, médiane et distale), à l'exception du gros orteil, qui n'en compte que deux.

tibia

péroné

malléole latérale

L'épiphyse du tibia forme une saillie osseuse, appelée **malléole interne**.

cheville

malléole interne

tarse

La **malléole latérale** est formée par l'extrémité du péroné.

métatarse

gros orteil

orteil

phalanges

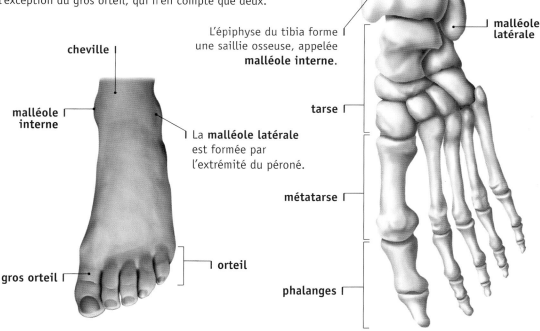

L'**astragale** constitue l'os central de la cheville. Enfoncé entre les extrémités du tibia et du péroné, il distribue le poids du corps entre le calcanéum et l'os scaphoïde.

os scaphoïde

Le **calcanéum**, l'os du talon, supporte une grande partie du poids du corps. Il sert aussi de point d'attache pour le tendon d'Achille.

Les articulations

Les zones de contact entre les os sont d'une importance capitale pour la mobilité et la solidité du squelette. La nature du tissu qui forme l'articulation entre deux ou plusieurs os détermine en grande partie l'amplitude du mouvement qui lui est associé. Les articulations fibreuses et cartilagineuses possèdent très peu de mobilité, tandis que les articulations synoviales permettent une grande variété de mouvements. Cependant, les mouvements dépendent aussi largement de la forme des os.

LES ARTICULATIONS FIBREUSES ET CARTILAGINEUSES

Certains os, comme ceux du crâne, sont liés par du tissu fibreux très dense. Ces articulations fibreuses, aussi appelées sutures, assurent aux os une immobilité protectrice.

Lorsque deux os sont liés par du tissu cartilagineux, leur articulation permet des mouvements très limités. C'est le cas de l'articulation de la première côte avec le sternum, qu'on appelle synchondrose, ou de celle des os du pubis, connue sous le nom de symphyse.

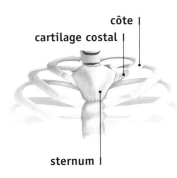

côte |
cartilage costal |

sternum |

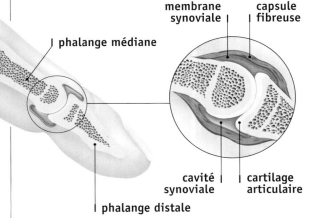

membrane synoviale | capsule fibreuse

| phalange médiane

cavité synoviale | cartilage articulaire

| phalange distale

LES ARTICULATIONS SYNOVIALES

La grande majorité des articulations sont mobiles, c'est-à-dire qu'elles permettent aux os de bouger les uns par rapport aux autres, parfois avec une grande amplitude. Ces articulations sont délimitées par une capsule fibreuse solidement fixée au périoste. La membrane qui tapisse l'intérieur de la capsule produit un liquide, la **synovie**, qui remplit la cavité synoviale. Elle lubrifie l'articulation et nourrit les cartilages qui tapissent l'extrémité des os.

LES LIGAMENTS

Les os sont généralement reliés entre eux par des ligaments, des tissus fibreux destinés à stabiliser et à solidifier les articulations synoviales. L'articulation du genou possède plusieurs types de ligaments. De chaque côté de la jambe, les ligaments latéraux joignent le fémur au tibia et au péroné et empêchent les mouvements latéraux du genou. À l'avant, le ligament rotulien solidifie l'articulation. Enfin, les ligaments croisés limitent les mouvements d'avant en arrière du genou.

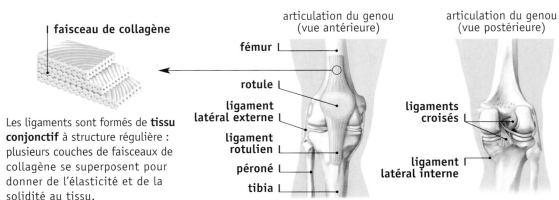

| faisceau de collagène

articulation du genou (vue antérieure)

fémur |

rotule |

ligament latéral externe |

ligament rotulien |

péroné |

tibia |

articulation du genou (vue postérieure)

ligaments croisés |

ligament latéral interne

Les ligaments sont formés de **tissu conjonctif** à structure régulière : plusieurs couches de faisceaux de collagène se superposent pour donner de l'élasticité et de la solidité au tissu.

LES DIFFÉRENTS TYPES D'ARTICULATIONS SYNOVIALES

Selon la nature des mouvements qu'elles permettent, on regroupe les articulations synoviales en six catégories : les articulations planes, à charnière, à pivot, à surfaces sphériques, ellipsoïdales et en selle.

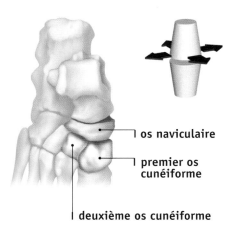

os naviculaire

premier os cunéiforme

deuxième os cunéiforme

Les **articulations planes** n'autorisent que de très légers mouvements latéraux. On les trouve notamment entre les vertèbres et les côtes, dans le carpe ainsi que dans le tarse, entre l'os naviculaire et les os cunéiformes.

L'articulation du coude est une **articulation à charnière** (ou trochléenne), qui permet des mouvements de flexion et d'extension selon un axe unique. La saillie convexe de l'humérus tourne dans le creux du cubitus.

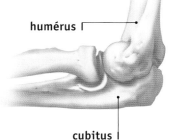

humérus

cubitus

tibia

péroné

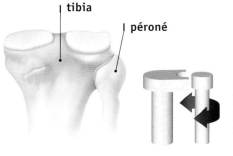

Une **articulation à pivot** (ou trochoïde) permet à un os, dont l'extrémité s'insère dans un anneau osseux ou ligamentaire, de pivoter autour de son axe longitudinal. C'est le cas du péroné, dont la tête s'articule avec le tibia.

L'**articulation ellipsoïdale** (ou condylienne) est biaxiale car elle permet des mouvements selon deux axes différents. L'articulation du poignet, où l'os scaphoïde et l'os semi-lunaire tournent dans la cavité du radius, appartient à cette catégorie.

os semi-lunaire

radius

os scaphoïde

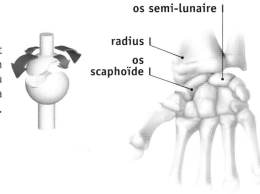

humérus

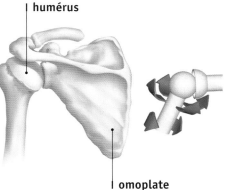

omoplate

Les articulations de la hanche et de l'épaule sont des **articulations à surfaces sphériques**, qui permettent des mouvements selon trois axes. En tournant dans la cavité glénoïde de l'omoplate, l'humérus peut également effectuer un mouvement de circumduction, c'est-à-dire un cercle complet.

Une **articulation en selle** ressemble à une articulation ellipsoïdale, mais ses mouvements atteignent une plus grande amplitude car les deux extrémités osseuses possèdent à la fois une surface convexe et une surface concave. L'articulation entre le métacarpe du pouce et le trapèze en est un bon exemple.

trapèze

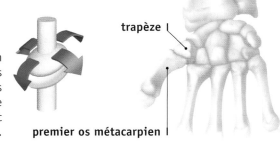

premier os métacarpien

Les muscles squelettiques
Générateurs de mouvements

Les muscles sont présents dans toutes les parties du corps humain : on en compte plus de 600, aussi bien dans le visage que dans les membres ou les viscères. Au total, ils représentent près de la moitié de notre masse corporelle. Une grande partie de nos muscles sont attachés aux os du squelette : on les appelle les muscles squelettiques. En se contractant sous la commande des influx nerveux, ils rapprochent leurs extrémités l'une de l'autre, ce qui fait pivoter les os dans leurs articulations et génère des mouvements parfois très complexes. Ils sont également responsables du maintien du tonus et de la posture du corps.

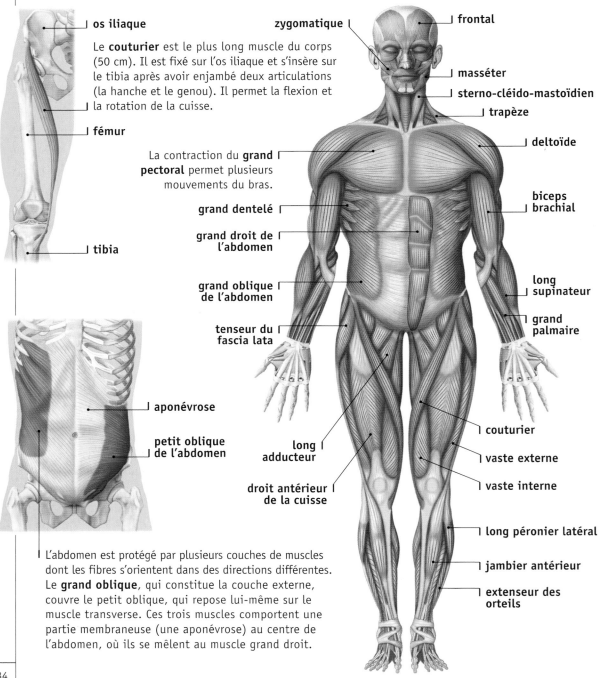

os iliaque

Le **couturier** est le plus long muscle du corps (50 cm). Il est fixé sur l'os iliaque et s'insère sur le tibia après avoir enjambé deux articulations (la hanche et le genou). Il permet la flexion et la rotation de la cuisse.

fémur

La contraction du **grand pectoral** permet plusieurs mouvements du bras.

grand dentelé

grand droit de l'abdomen

tibia

grand oblique de l'abdomen

tenseur du fascia lata

aponévrose

petit oblique de l'abdomen

long adducteur

droit antérieur de la cuisse

zygomatique

frontal

masséter

sterno-cléido-mastoïdien

trapèze

deltoïde

biceps brachial

long supinateur

grand palmaire

couturier

vaste externe

vaste interne

long péronier latéral

jambier antérieur

extenseur des orteils

L'abdomen est protégé par plusieurs couches de muscles dont les fibres s'orientent dans des directions différentes. Le **grand oblique**, qui constitue la couche externe, couvre le petit oblique, qui repose lui-même sur le muscle transverse. Ces trois muscles comportent une partie membraneuse (une aponévrose) au centre de l'abdomen, où ils se mêlent au muscle grand droit.

ENTRE LE MUSCLE ET L'OS : LE TENDON

Un muscle squelettique enjambe une ou plusieurs articulations et se fixe aux os par l'intermédiaire de tendons, des faisceaux fibreux de couleur blanchâtre. La contraction du muscle ne fait généralement bouger qu'un seul os, tandis que l'autre reste immobile. Le point d'attache sur l'os immobile est appelé l'origine du muscle ; celui situé sur l'os mobile se nomme l'insertion. Quant à la partie centrale et charnue du muscle, il s'agit du ventre.

Certains muscles possèdent plusieurs origines et, donc, plusieurs ventres. Selon le nombre de leurs tendons, ils prennent le nom de biceps, triceps ou quadriceps.

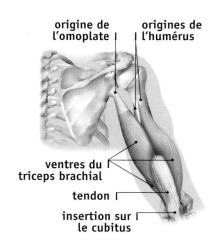

origine de l'omoplate

origines de l'humérus

ventres du triceps brachial

tendon

insertion sur le cubitus

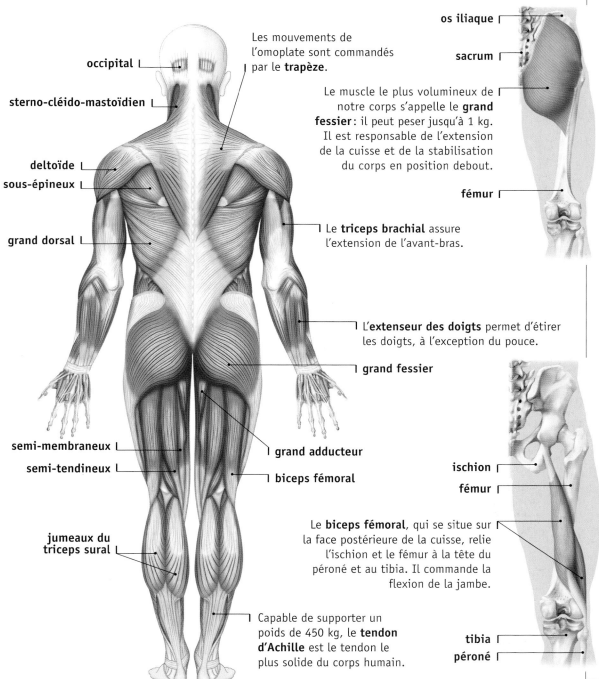

occipital

sterno-cléido-mastoïdien

deltoïde

sous-épineux

grand dorsal

semi-membraneux

semi-tendineux

jumeaux du triceps sural

grand adducteur

biceps fémoral

Les mouvements de l'omoplate sont commandés par le **trapèze**.

Le muscle le plus volumineux de notre corps s'appelle le **grand fessier** : il peut peser jusqu'à 1 kg. Il est responsable de l'extension de la cuisse et de la stabilisation du corps en position debout.

Le **triceps brachial** assure l'extension de l'avant-bras.

L'**extenseur des doigts** permet d'étirer les doigts, à l'exception du pouce.

grand fessier

Le **biceps fémoral**, qui se situe sur la face postérieure de la cuisse, relie l'ischion et le fémur à la tête du péroné et au tibia. Il commande la flexion de la jambe.

Capable de supporter un poids de 450 kg, le **tendon d'Achille** est le tendon le plus solide du corps humain.

os iliaque

sacrum

fémur

ischion

fémur

tibia

péroné

Le tissu musculaire

Des faisceaux de cellules contractiles

Lorsqu'on examine au microscope les fibres qui composent les muscles squelettiques, de longs filaments apparaissent à l'intérieur des cellules. Ces myofibrilles présentent des stries colorées très particulières qui sont intimement liées au mécanisme de contraction des fibres.

L'ANATOMIE DES MUSCLES SQUELETTIQUES

Les muscles squelettiques sont essentiellement composés de fibres musculaires, des cellules filiformes d'une longueur moyenne de 3 cm et qui peuvent atteindre 50 cm. Groupées par faisceaux abondamment vascularisés, ces cellules contiennent de longs fils, les myofibrilles.

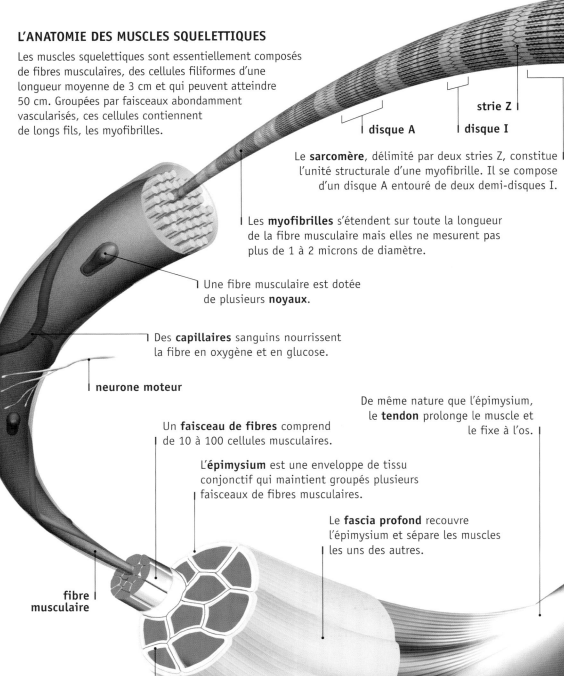

strie Z

disque A   **disque I**

Le **sarcomère**, délimité par deux stries Z, constitue l'unité structurale d'une myofibrille. Il se compose d'un disque A entouré de deux demi-disques I.

Les **myofibrilles** s'étendent sur toute la longueur de la fibre musculaire mais elles ne mesurent pas plus de 1 à 2 microns de diamètre.

Une fibre musculaire est dotée de plusieurs **noyaux**.

Des **capillaires** sanguins nourrissent la fibre en oxygène et en glucose.

neurone moteur

De même nature que l'épimysium, le **tendon** prolonge le muscle et le fixe à l'os.

Un **faisceau de fibres** comprend de 10 à 100 cellules musculaires.

L'**épimysium** est une enveloppe de tissu conjonctif qui maintient groupés plusieurs faisceaux de fibres musculaires.

Le **fascia profond** recouvre l'épimysium et sépare les muscles les uns des autres.

fibre musculaire

Chaque faisceau de fibres est enveloppé par une couche de tissu conjonctif, le **périmysium**.

FILAMENTS ÉPAIS ET FILAMENTS MINCES

Les stries caractéristiques qui apparaissent le long des myofibrilles sont dues à la présence de deux types de filaments : les filaments épais et les filaments minces. Les disques A, de couleur sombre, sont composés des deux types de filaments, tandis que les disques I, plus clairs, ne contiennent que des filaments minces.

La myosine est le constituant principal des filaments épais. Arrangées en faisceaux, les molécules de cette protéine projettent leur tête vers l'extérieur. Quant aux filaments minces, ils sont composés de trois protéines : l'actine, la tropomyosine et la troponine.

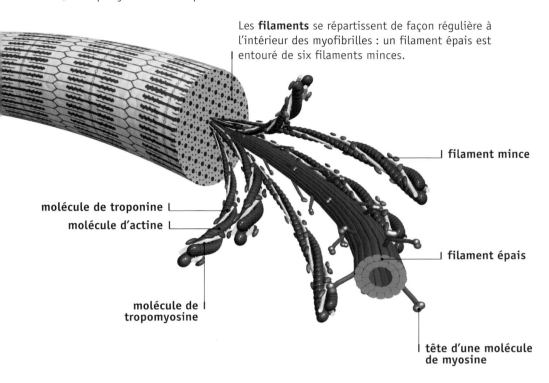

Les **filaments** se répartissent de façon régulière à l'intérieur des myofibrilles : un filament épais est entouré de six filaments minces.

filament mince

molécule de troponine

molécule d'actine

molécule de tropomyosine

filament épais

tête d'une molécule de myosine

LA CONTRACTION DES MUSCLES SQUELETTIQUES

Dans un muscle au repos ❶, les filaments minces et épais des myofibrilles sont imbriqués lâchement les uns dans les autres, de telle sorte que les espaces existant entre deux filaments épais consécutifs forment les disques I.

Lorsqu'un neurone transmet un influx nerveux à la fibre musculaire ❷, les têtes des molécules de myosine sont énergisées. Elles se lient alors avec les molécules d'actine des filaments minces et y déchargent leur énergie. Cette réaction a pour effet de faire glisser le filament mince vers le centre du disque A et donc de diminuer la longueur des sarcomères : la fibre musculaire se contracte.

Si l'influx nerveux cesse, une réaction chimique bloque l'interaction entre la myosine et l'actine, ce qui ramène les filaments minces dans leur position initiale : le muscle se détend.

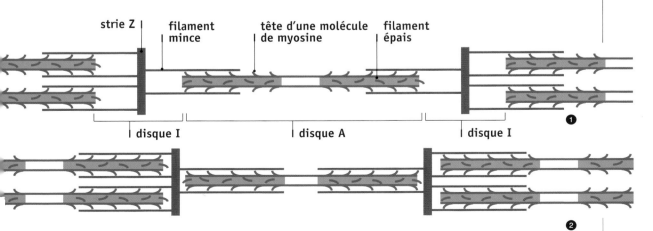

strie Z | filament mince | tête d'une molécule de myosine | filament épais

disque I | disque A | disque I

❶

❷

Les muscles de la tête

Une infinie variété de mouvements

Sourire, cligner des yeux, mastiquer, froncer les sourcils ou faire la moue : les mouvements de notre visage sont innombrables et extrêmement variés. Pas moins de 50 muscles, parfois de très petite taille, sont constamment à l'œuvre sous la peau. Ils nous aident à manger, à parler, à voir et à bouger la tête, mais aussi à exprimer nos émotions. Les expressions faciales constituent en effet un véritable mode de communication.

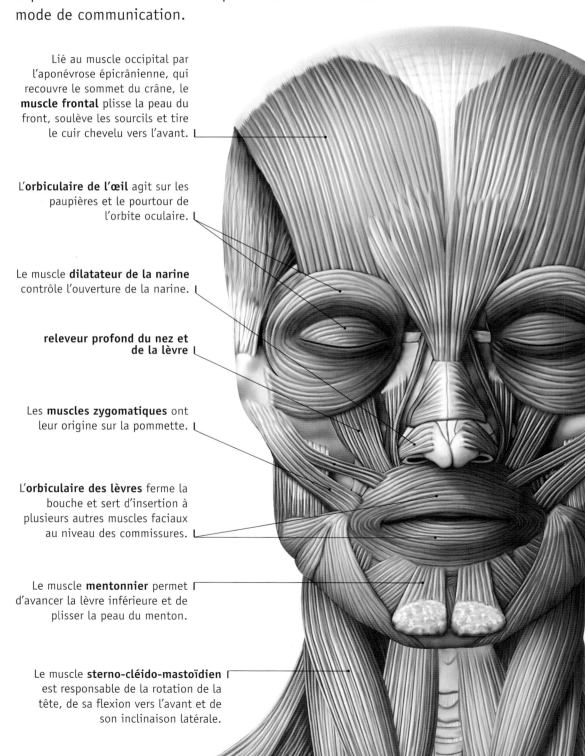

Lié au muscle occipital par l'aponévrose épicrânienne, qui recouvre le sommet du crâne, le **muscle frontal** plisse la peau du front, soulève les sourcils et tire le cuir chevelu vers l'avant.

L'**orbiculaire de l'œil** agit sur les paupières et le pourtour de l'orbite oculaire.

Le muscle **dilatateur de la narine** contrôle l'ouverture de la narine.

releveur profond du nez et de la lèvre

Les **muscles zygomatiques** ont leur origine sur la pommette.

L'**orbiculaire des lèvres** ferme la bouche et sert d'insertion à plusieurs autres muscles faciaux au niveau des commissures.

Le muscle **mentonnier** permet d'avancer la lèvre inférieure et de plisser la peau du menton.

Le muscle **sterno-cléido-mastoïdien** est responsable de la rotation de la tête, de sa flexion vers l'avant et de son inclinaison latérale.

LES EXPRESSIONS DU VISAGE

Bien que peu puissants, les muscles faciaux sont capables de commander de subtils mouvements de la peau qui modifient l'aspect de notre visage et déterminent une très grande variété d'expressions. Si certaines de ces expressions possèdent une signification universellement reconnue et comprise, comme la joie, la colère ou la surprise, d'autres sont plus nuancées et plus personnelles.

| zygomatiques | triangulaires des lèvres | sourciliers | frontaux | orbiculaire des lèvres |

DES MUSCLES SOUS LA PEAU

La plupart des muscles de la tête ont la particularité de ne pas commander le mouvement d'un os, mais d'agir sur la peau du visage. C'est pourquoi on les appelle des muscles peauciers, ou muscles de la mimique. Parmi eux, les muscles orbiculaires de l'œil et de la bouche ont une importance particulière : il s'agit de sphincters (c'est-à-dire des muscles en forme d'anneau) qui provoquent l'ouverture ou la fermeture des orifices. Au contraire, le masséter et le muscle temporal ne sont pas des muscles peauciers, mais des muscles de la mastication. Insérés sur la mandibule, ils commandent la fermeture de la mâchoire.

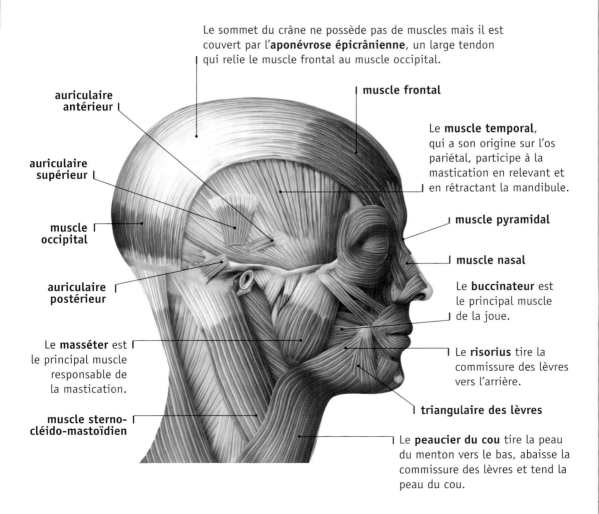

Le sommet du crâne ne possède pas de muscles mais il est couvert par l'**aponévrose épicrânienne**, un large tendon qui relie le muscle frontal au muscle occipital.

auriculaire antérieur

muscle frontal

auriculaire supérieur

Le **muscle temporal**, qui a son origine sur l'os pariétal, participe à la mastication en relevant et en rétractant la mandibule.

muscle occipital

muscle pyramidal

auriculaire postérieur

muscle nasal

Le **buccinateur** est le principal muscle de la joue.

Le **masséter** est le principal muscle responsable de la mastication.

Le **risorius** tire la commissure des lèvres vers l'arrière.

triangulaire des lèvres

muscle sterno-cléido-mastoïdien

Le **peaucier du cou** tire la peau du menton vers le bas, abaisse la commissure des lèvres et tend la peau du cou.

L'action des muscles squelettiques

De la contraction au mouvement

Contrairement à l'action des muscles lisses et cardiaque, qui échappe à notre volonté, les mouvements commandés par les muscles squelettiques sont volontaires : nous décidons de marcher, de parler ou de saisir un objet. Toutefois, chaque mouvement que nous effectuons implique généralement plusieurs muscles qui agissent conjointement sans que nous en ayons pleinement conscience. En fait, un muscle ne peut pas fonctionner isolément car il n'est capable que d'une seule action : se contracter.

MUSCLES AGONISTES ET ANTAGONISTES

Les mouvements des os du squelette sont généralement assurés par des paires de muscles situés de chaque côté d'une articulation. Le muscle responsable d'un mouvement est dit agoniste, tandis que le muscle opposé, qui résiste au mouvement, est appelé antagoniste. Pour que le mouvement s'inverse, les rôles doivent s'échanger. C'est le cas dans le bras, qui est doté de deux muscles principaux : le biceps brachial, situé sur sa face antérieure, et le triceps, à l'arrière.

triceps brachial |

Lorsqu'un influx nerveux est envoyé au biceps ❶, celui-ci se contracte, ce qui a pour effet de plier l'avant-bras grâce à l'articulation du coude, qui sert de pivot. Le triceps, qui est relâché, est étiré par le mouvement de l'avant-bras.

❶ | **biceps brachial**

❷

Pour que l'avant-bras se déplie et retrouve sa position initiale, le triceps ❷ doit se contracter à son tour, tandis que le biceps se relâche automatiquement.

LES MUSCLES OCULAIRES

Nos globes oculaires sont capables de s'orienter très rapidement et très précisément en direction de l'objet que nous désirons fixer. Cette aptitude est due aux six muscles squelettiques qui relient chaque œil à la cavité oculaire. La coordination de l'action de ces muscles nous permet de tourner les yeux selon les trois axes.

La **trochlée** est une sorte de poulie fibrocartilagineuse dans laquelle passe le tendon du muscle oblique supérieur. |

muscle oblique supérieur |

muscle droit interne |

Le **muscle droit supérieur** se contracte pour diriger l'œil vers le haut. |

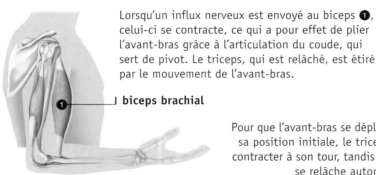

| globe oculaire

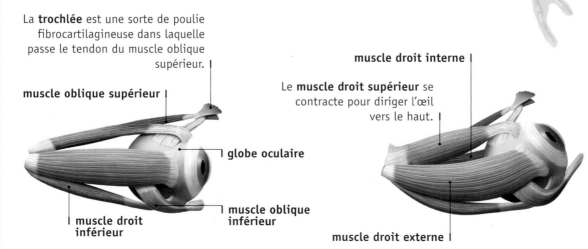

| muscle droit inférieur

| muscle oblique inférieur

muscle droit externe |

Les mouvements de la main

Une habileté inégalée

L'être humain jouit d'une aptitude unique dans le règne animal : celle de saisir et manipuler les objets avec une grande précision. Cette habileté, due à la structure du squelette de notre main, mais aussi à l'ensemble complexe des muscles de notre avant-bras, nous permet d'exécuter des mouvements aussi variés que jouer du piano, ouvrir un robinet ou écrire.

LES MUSCLES ANTÉRIEURS DE LA MAIN ET DE L'AVANT-BRAS

Les muscles responsables des mouvements de flexion du poignet, de la main et des doigts sont situés sur la face antérieure de l'avant-bras. Pour la plupart, ils ont pour origine l'extrémité de l'humérus, juste au-dessus du coude, et se prolongent jusqu'aux os métacarpiens et aux phalanges par de longs tendons. Plusieurs ligaments ainsi qu'une membrane appelée aponévrose palmaire protègent ces tendons. La main comprend aussi plusieurs muscles intrinsèques, notamment ceux qui donnent sa mobilité au pouce.

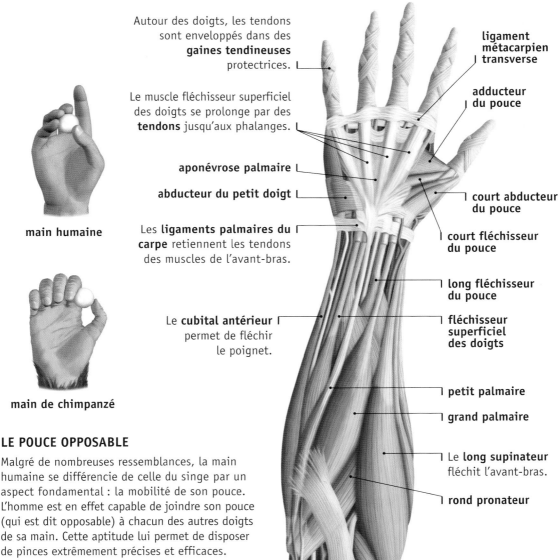

Autour des doigts, les tendons sont enveloppés dans des **gaines tendineuses** protectrices.

Le muscle fléchisseur superficiel des doigts se prolonge par des **tendons** jusqu'aux phalanges.

aponévrose palmaire

abducteur du petit doigt

Les **ligaments palmaires du carpe** retiennent les tendons des muscles de l'avant-bras.

Le **cubital antérieur** permet de fléchir le poignet.

main humaine

main de chimpanzé

ligament métacarpien transverse

adducteur du pouce

court abducteur du pouce

court fléchisseur du pouce

long fléchisseur du pouce

fléchisseur superficiel des doigts

petit palmaire

grand palmaire

Le **long supinateur** fléchit l'avant-bras.

rond pronateur

LE POUCE OPPOSABLE

Malgré de nombreuses ressemblances, la main humaine se différencie de celle du singe par un aspect fondamental : la mobilité de son pouce. L'homme est en effet capable de joindre son pouce (qui est dit opposable) à chacun des autres doigts de sa main. Cette aptitude lui permet de disposer de pinces extrêmement précises et efficaces.

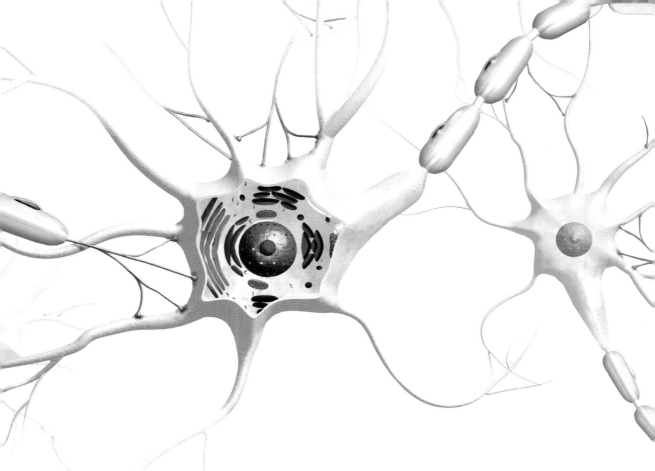

Organe complexe et encore méconnu, le cerveau est le siège de la conscience, de l'activité intellectuelle et des émotions. C'est aussi là que les diverses fonctions du corps sont régulées et contrôlées, que les stimulus physiques sont ressentis et que les mouvements volontaires sont déclenchés. Ce rôle de centralisation et de coordination s'exerce sur la totalité du corps grâce à un vaste réseau de nerfs qui remplissent une double fonction motrice et sensitive. Les centres nerveux peuvent ainsi recevoir des messages de chaque partie de l'organisme et commander les actions nécessaires.

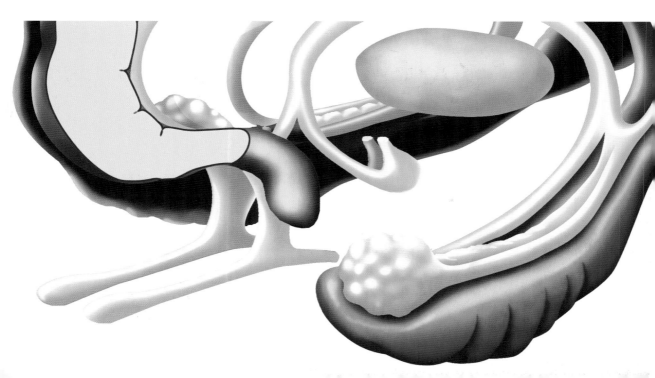

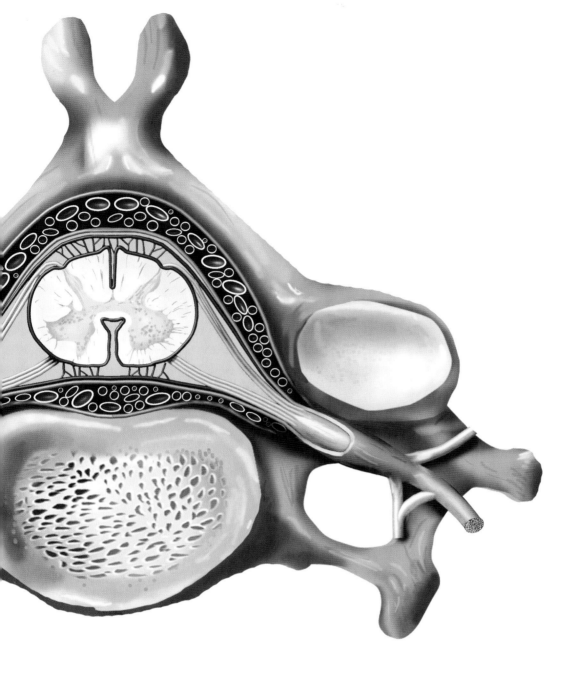

Le système nerveux

Les neurones

Les cellules transmettrices des influx nerveux

À la base du système nerveux figurent les neurones, des cellules hautement spécialisées possédant la particularité de véhiculer des signaux électriques et de les transmettre à d'autres cellules (nerveuses, musculaires, glandulaires...). Qu'il soit moteur, sensitif ou d'association, un neurone est toujours constitué d'un corps cellulaire et de prolongements plus ou moins nombreux. Parmi ces prolongements, on distingue les dendrites, des ramifications chargées de recevoir les influx électriques, et l'axone, chargé de les transmettre.

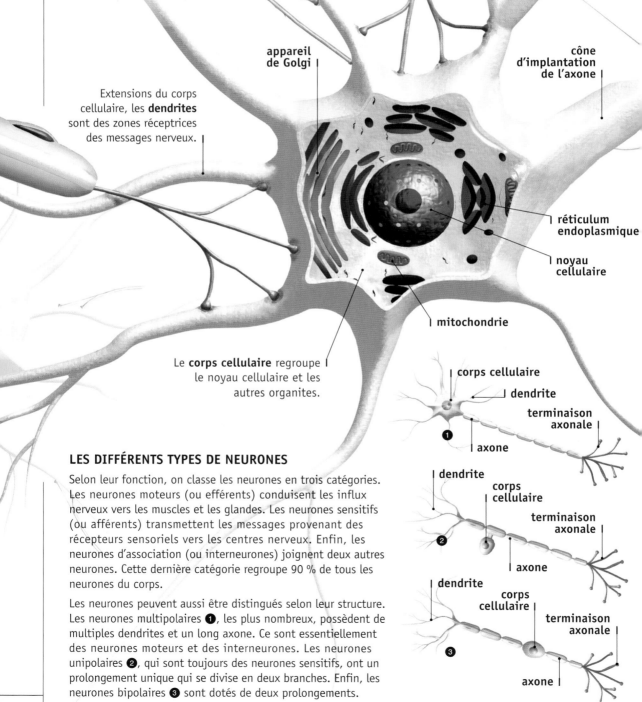

appareil de Golgi

cône d'implantation de l'axone

Extensions du corps cellulaire, les **dendrites** sont des zones réceptrices des messages nerveux.

réticulum endoplasmique

noyau cellulaire

mitochondrie

Le **corps cellulaire** regroupe le noyau cellulaire et les autres organites.

corps cellulaire

dendrite

terminaison axonale

❶

axone

dendrite

corps cellulaire

terminaison axonale

❷

axone

dendrite

corps cellulaire

terminaison axonale

❸

axone

LES DIFFÉRENTS TYPES DE NEURONES

Selon leur fonction, on classe les neurones en trois catégories. Les neurones moteurs (ou efférents) conduisent les influx nerveux vers les muscles et les glandes. Les neurones sensitifs (ou afférents) transmettent les messages provenant des récepteurs sensoriels vers les centres nerveux. Enfin, les neurones d'association (ou interneurones) joignent deux autres neurones. Cette dernière catégorie regroupe 90 % de tous les neurones du corps.

Les neurones peuvent aussi être distingués selon leur structure. Les neurones multipolaires ❶, les plus nombreux, possèdent de multiples dendrites et un long axone. Ce sont essentiellement des neurones moteurs et des interneurones. Les neurones unipolaires ❷, qui sont toujours des neurones sensitifs, ont un prolongement unique qui se divise en deux branches. Enfin, les neurones bipolaires ❸ sont dotés de deux prolongements.

noyau de la cellule de Schwann

La **gaine de myéline** améliore l'isolation électrique des neurones.

cellule de Schwann

L'AXONE

Structure spécifique au neurone, l'axone est un prolongement cellulaire qui se détache du corps de la cellule au niveau d'un cône d'implantation, puis s'étend sur une distance variant entre 1 mm (dans le cerveau) et 1 m (dans la jambe). La plupart des axones sont recouverts de myéline, une substance lipidique de couleur blanche. Enroulée dans des cellules de Schwann (ou des oligodendrocytes dans le système nerveux central), la myéline forme une gaine divisée en segments par des étranglements, les nœuds de Ranvier.

Les signaux électriques se propagent le long de l'**axone** à une vitesse qui peut atteindre 400 km/h.

Les **nœuds de Ranvier**, qui séparent les cellules de Schwann, accélèrent la propagation des signaux électriques.

bouton terminal

Les **terminaisons axonales** présentent une structure arborescente.

Certains neurones comptent jusqu'à 30 000 **synapses**.

LES SYNAPSES

Le message nerveux passe d'un neurone à un autre dans une région appelée « synapse ». Le plus souvent, les deux neurones ne sont pas en contact direct et demeurent séparés par une très mince fente, si bien que le signal électrique doit être converti en un signal chimique pour que la transmission ait lieu.

Lorsqu'un influx nerveux atteint le bouton terminal, des neurotransmetteurs sont libérés dans la fente synaptique par les vésicules qui les contiennent. Au moment où ces molécules entrent en contact avec les récepteurs du neurone postsynaptique, ceux-ci génèrent un signal électrique.

Dans une synapse chimique, une **fente synaptique** sépare les deux membranes.

bouton terminal

vésicule synaptique

neurotransmetteur

récepteur du neurotransmetteur

neurone postsynaptique

Le système nerveux central
Le centre de contrôle du réseau nerveux

Le système nerveux constitue le principal réseau de communication et de contrôle du corps humain. C'est à lui que revient de commander les mouvements des organes et des muscles, de traiter les messages sensoriels provenant de l'ensemble du corps et d'assurer les activités psychiques et intellectuelles. Ces multiples fonctions sont remplies grâce à la coordination du système nerveux périphérique, qui regroupe l'ensemble des nerfs du corps, et du système nerveux central.

Avec un poids variant entre 1,3 et 1,4 kg, le **cerveau** constitue la partie la plus développée du système nerveux central.

Le **cervelet** intervient principalement dans la coordination motrice, le maintien de l'équilibre, du tonus musculaire et de la posture.

LE SYSTÈME NERVEUX CENTRAL

Véritable centre de commande, de contrôle et de traitement des informations nerveuses, le système nerveux central (SNC) est formé de plus de 100 milliards de neurones. Il se compose de l'encéphale (regroupant le cerveau, le cervelet et le tronc cérébral) et de la moelle épinière.

Le **tronc cérébral** joue essentiellement un rôle de transmission entre la moelle épinière, le cerveau et le cervelet.

Logée dans le canal osseux formé par la colonne vertébrale, la **moelle épinière** s'étend du tronc cérébral jusqu'à la deuxième vertèbre lombaire. Son diamètre, de 2 cm en moyenne, n'est pas uniforme, car elle présente deux renflements, l'un cervical, l'autre lombaire.

deuxième vertèbre lombaire

Au-delà de la deuxième vertèbre lombaire, la moelle épinière se prolonge par le **filum terminal**, un long filament de tissu conjonctif.

Chaque **nerf rachidien** est relié à la moelle épinière par deux racines, l'une sensitive (à l'arrière) et l'autre motrice (à l'avant).

De chaque côté de la moelle épinière, une chaîne de **ganglions sympathiques** contrôle la contraction des muscles viscéraux.

MATIÈRE GRISE ET MATIÈRE BLANCHE

La moelle épinière est composée de deux types de substances. La matière grise, qui dessine grossièrement un H au centre de la moelle, est formée par les corps cellulaires des neurones. On y distingue les cornes dorsales, qui contiennent les neurones sensitifs des nerfs rachidiens, et les cornes ventrales, constituées de neurones moteurs.

La matière grise est entourée par de la matière blanche, constituée de faisceaux de fibres nerveuses (prolongements des neurones) ascendantes et descendantes. Les faisceaux ascendants amènent à l'encéphale les informations sensitives reçues par les cornes dorsales, tandis que les faisceaux descendants conduisent les influx moteurs jusqu'aux cornes ventrales.

LA MOELLE ÉPINIÈRE

La moelle épinière assure la liaison entre l'encéphale et les 31 paires de nerfs rachidiens, qui s'y fixent par leurs racines sensitives et motrices. Faite d'un tissu mou et fragile, elle est protégée par plusieurs membranes et liquides, à l'intérieur du canal spinal formé par les vertèbres.

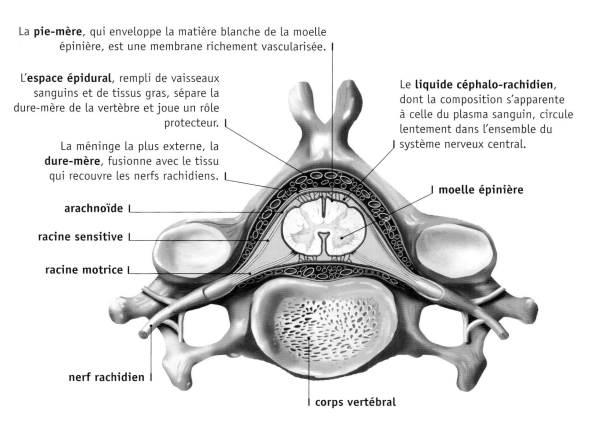

La **pie-mère**, qui enveloppe la matière blanche de la moelle épinière, est une membrane richement vascularisée.

L'**espace épidural**, rempli de vaisseaux sanguins et de tissus gras, sépare la dure-mère de la vertèbre et joue un rôle protecteur.

La méninge la plus externe, la **dure-mère**, fusionne avec le tissu qui recouvre les nerfs rachidiens.

arachnoïde

racine sensitive

racine motrice

nerf rachidien

Le **liquide céphalo-rachidien**, dont la composition s'apparente à celle du plasma sanguin, circule lentement dans l'ensemble du système nerveux central.

moelle épinière

corps vertébral

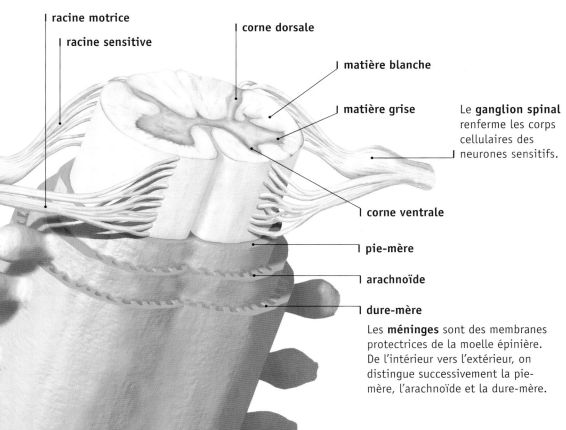

racine motrice

racine sensitive

corne dorsale

matière blanche

matière grise

Le **ganglion spinal** renferme les corps cellulaires des neurones sensitifs.

corne ventrale

pie-mère

arachnoïde

dure-mère

Les **méninges** sont des membranes protectrices de la moelle épinière. De l'intérieur vers l'extérieur, on distingue successivement la pie-mère, l'arachnoïde et la dure-mère.

L'encéphale

Le cœur du système nerveux

Élément central du système nerveux, l'encéphale est logé dans la boîte crânienne, où il communique avec le reste du corps par l'intermédiaire des nerfs crâniens et de la moelle épinière. Il est formé du tronc cérébral, du cervelet et surtout du cerveau, qui constitue près de 90 % de son volume.

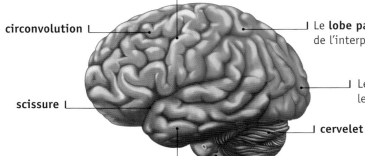

scissure longitudinale

hémisphère gauche

hémisphère droit

L'ASPECT EXTÉRIEUR DE L'ENCÉPHALE

Le cerveau se présente comme une masse molle d'environ 1 400 cm³, divisée en deux hémisphères par un profond sillon, la scissure longitudinale. D'autres scissures délimitent des zones particulières, les lobes, alors que des sillons moins marqués dessinent des circonvolutions dont le tracé varie d'un individu à l'autre. Le cervelet est constitué de deux hémisphères situés sous le cerveau et derrière le tronc cérébral.

Le **lobe frontal** est responsable de la pensée, du langage, des émotions et des mouvements volontaires.

circonvolution

Le **lobe pariétal** est chargé de la perception et de l'interprétation des sensations de toucher.

Les images visuelles sont traitées dans le **lobe occipital**.

scissure

cervelet

Les neurones du **lobe temporal** reconnaissent et interprètent les sons.

tronc cérébral

Les **tubercules quadrijumeaux** interviennent dans les sensations visuelles et auditives.

Le **mésencéphale** est constitué des quatre tubercules et des deux pédoncules cérébraux.

LE TRONC CÉRÉBRAL

Profondément ancré au cœur du cerveau, le tronc cérébral constitue le prolongement de la moelle épinière, dont il conserve la structure histologique (matière blanche enveloppant un noyau de matière grise). Ses trois parties principales, le bulbe rachidien, la protubérance et le mésencéphale, renferment des faisceaux nerveux ascendants et descendants qui relient le cerveau et le cervelet au reste du corps. Le tronc cérébral joue aussi un rôle primordial dans l'innervation de la tête, puisque 10 des 12 paires de nerfs crâniens y sont directement rattachées.

pédoncule cérébral

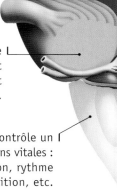

Les faisceaux nerveux de la **protubérance** joignent le cerveau au cervelet et à la moelle épinière.

Le **bulbe rachidien** contrôle un certain nombre de fonctions vitales : respiration, circulation, rythme cardiaque, toux, déglutition, etc.

moelle épinière

LA PROTECTION DE L'ENCÉPHALE

Les trois méninges de la moelle épinière (la dure-mère, l'arachnoïde et la pie-mère) se prolongent jusqu'à l'encéphale, qu'elles enveloppent et protègent. Ces membranes sont elles-mêmes recouvertes par plusieurs enveloppes protectrices successives : les os du crâne, l'aponévrose crânienne (une couche de tendons) et la peau.

Par ailleurs, les matières cérébrales baignent dans le liquide céphalo-rachidien, qui leur assure une protection à la fois mécanique et chimique. Ce liquide est élaboré à l'intérieur de cavités appelées ventricules (les ventricules latéraux, le troisième ventricule et le quatrième ventricule) puis circule dans l'ensemble du système nerveux central, notamment dans l'espace sous-arachnoïdien.

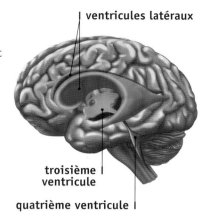

ventricules latéraux

troisième ventricule

quatrième ventricule

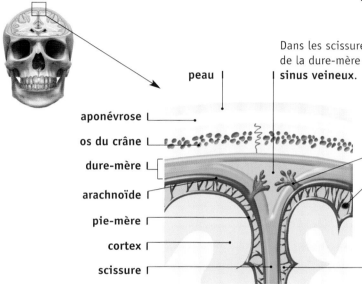

peau

aponévrose

os du crâne

dure-mère

arachnoïde

pie-mère

cortex

scissure

Dans les scissures, les deux feuillets fibreux de la dure-mère s'écartent pour former des **sinus veineux**.

Les **villosités arachnoïdiennes** assurent les échanges entre le liquide céphalo-rachidien et le sang.

vaisseau sanguin

Soutenu par des travées issues de l'arachnoïde, l'**espace sous-arachnoïdien** contient des vaisseaux sanguins et du liquide céphalo-rachidien.

LE CERVELET

Situé dans la partie postérieure de l'encéphale, le cervelet est séparé des lobes occipitaux par un repli des méninges, la tente du cervelet. Ses deux hémisphères, délimités par une saillie centrale, le vermis, présentent une surface plissée très différente de celle du cerveau.

Le rôle du cervelet est très précis : il assure la régulation et la coordination des mouvements. Pour cela, il analyse continuellement les messages envoyés par les récepteurs sensoriels et ajuste la tension des muscles en inhibant les commandes issues de l'aire motrice du cerveau. Le cervelet, qui est lié aux organes de l'équilibre, régit aussi la stature du corps en agissant sur les muscles impliqués.

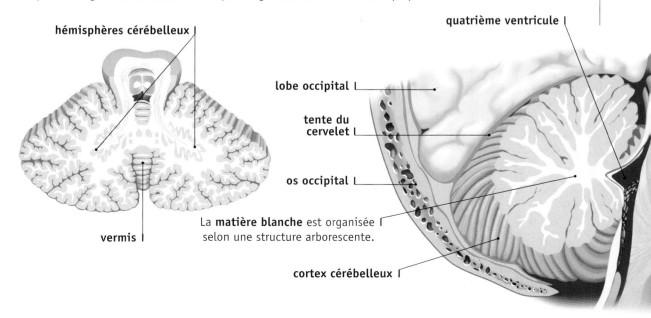

hémisphères cérébelleux

vermis

quatrième ventricule

lobe occipital

tente du cervelet

os occipital

La **matière blanche** est organisée selon une structure arborescente.

cortex cérébelleux

Le cerveau

Une extraordinaire complexité

Le cerveau humain conserve les traces des différents stades de l'évolution animale. Ainsi, la plupart des fonctions vitales primitives sont assurées par des éléments très profonds, comme l'hypothalamus. Recouvrant ce cerveau « reptilien », le système limbique contrôle des fonctions plus évoluées : la mémoire, les émotions, l'apprentissage. Le cortex cérébral, qui s'est développé le plus récemment, est responsable notamment de la pensée, du langage, des mouvements volontaires et de la représentation consciente des sensations.

À L'INTÉRIEUR DU CERVEAU

Comme la moelle épinière, le cerveau est formé de deux types de substances. La matière grise, constituée de corps cellulaires de neurones, se trouve dans le cortex cérébral et dans certains corps centraux, comme le thalamus. La matière blanche, composée de fibres nerveuses, fait communiquer les différentes parties du système nerveux central.

Le cerveau est recouvert par une couche de matière grise, le **cortex cérébral**, dont l'épaisseur varie entre 2 et 5 mm. Cette zone joue un rôle fondamental dans l'interprétation des messages sensoriels, dans la commande des mouvements et dans les fonctions intellectuelles.

Les deux hémisphères cérébraux sont reliés par quelques commissures formées de matière blanche, comme le **corps calleux**.

Profondément enfoui à l'intérieur du cerveau, le **thalamus** est constitué de deux masses situées de part et d'autre du troisième ventricule. Il joue un rôle de relais entre les organes sensitifs et les aires sensorielles du cortex.

L'**hypothalamus** est formé de plusieurs petites masses qui contrôlent les fonctions vitales du corps : thermorégulation, appétit, activité sexuelle…

Enchevêtrés à l'intérieur du tronc cérébral, les nombreux neurones de la **formation réticulée** constituent un relais entre les faisceaux nerveux sensitifs et le cerveau. Ils stimulent l'activité du cortex et le maintiennent en état de veille.

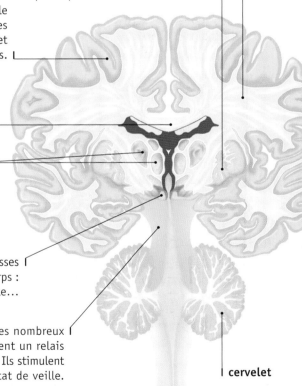

Les **noyaux gris centraux** participent aux fonctions motrices.

matière blanche

cervelet

LES ONDES CÉRÉBRALES

L'activité électrique du cerveau peut être mesurée grâce à des électrodes fixées sur le cuir chevelu, puis transcrite sur un électro-encéphalogramme. La fréquence et l'intensité des ondes cérébrales varient selon l'état de conscience. Pendant le sommeil profond, les ondes sont amples et de basse fréquence, alors qu'elles se resserrent chez un sujet éveillé mais détendu. En état d'activité et pendant les rêves, les ondes cérébrales présentent une fréquence élevée mais avec une faible amplitude.

LE SYSTÈME LIMBIQUE

Formé de l'hypothalamus, de certaines parties du thalamus et de faisceaux de matière blanche, le système limbique est superposé aux structures primitives du cerveau. Il contrôle nos réactions instinctives et émotionnelles (peur, colère, plaisir), et les associe aux zones les plus évoluées du cortex cérébral, participant ainsi à l'élaboration de comportements complexes. C'est aussi au sein du système limbique que se forment les souvenirs, selon des mécanismes qui ne sont pas encore totalement compris. La présence des bulbes olfactifs dans cette région du cerveau explique en outre le caractère souvent émotionnel de l'odorat.

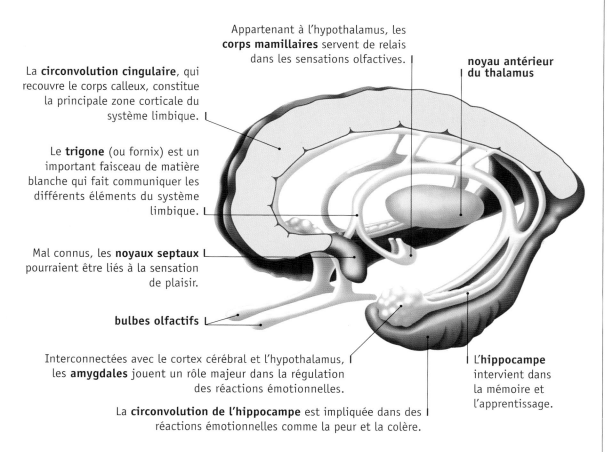

Appartenant à l'hypothalamus, les **corps mamillaires** servent de relais dans les sensations olfactives.

noyau antérieur du thalamus

La **circonvolution cingulaire**, qui recouvre le corps calleux, constitue la principale zone corticale du système limbique.

Le **trigone** (ou fornix) est un important faisceau de matière blanche qui fait communiquer les différents éléments du système limbique.

Mal connus, les **noyaux septaux** pourraient être liés à la sensation de plaisir.

bulbes olfactifs

Interconnectées avec le cortex cérébral et l'hypothalamus, les **amygdales** jouent un rôle majeur dans la régulation des réactions émotionnelles.

L'**hippocampe** intervient dans la mémoire et l'apprentissage.

La **circonvolution de l'hippocampe** est impliquée dans des réactions émotionnelles comme la peur et la colère.

LA CROISSANCE DU CERVEAU

Dès les premières semaines, une ébauche du système nerveux central se développe chez l'embryon. À 7 semaines ❶, trois zones peuvent déjà être identifiées : le cerveau antérieur, avec le bourgeon de l'œil, le mésencéphale et le cerveau postérieur, d'où commencent à sortir les nerfs crâniens. À 11 semaines ❷, le cerveau postérieur se divise en parties distinctes (le cervelet et le bulbe rachidien) alors que le cerveau antérieur grossit considérablement. À la naissance ❸, le cerveau constitue la partie la plus volumineuse de l'encéphale. Des circonvolutions se sont formées à sa surface.

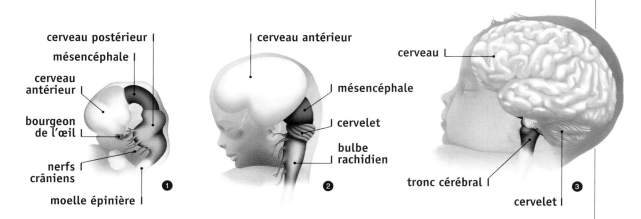

cerveau postérieur

mésencéphale

cerveau antérieur

bourgeon de l'œil

nerfs crâniens

moelle épinière

❶

cerveau antérieur

mésencéphale

cervelet

bulbe rachidien

❷

cerveau

tronc cérébral

cervelet

❸

Le système nerveux périphérique

Un réseau de voies sensitives et motrices

Le système nerveux central communique avec l'ensemble du corps par 43 paires de nerfs : 12 paires de nerfs crâniens directement connectés au cerveau et 31 paires de nerfs rachidiens reliés à la moelle épinière. Ce réseau, qui constitue le système nerveux périphérique (SNP), se ramifie pour atteindre la totalité du corps.

Les influx nerveux sont de deux ordres : sensitifs et moteurs. Dans le premier cas, les terminaisons nerveuses envoient des messages au système nerveux central. Dans l'autre, le SNC commande à un muscle de se contracter. Certains nerfs accomplissent les deux types de tâches : ce sont les nerfs mixtes.

LES NERFS CRÂNIENS

Douze paires de nerfs (numérotées de I à XII) sont directement reliées au cerveau. Ces nerfs crâniens innervent principalement la tête et le cou. Certains ont des fonctions uniquement sensitives, comme le nerf optique, le nerf vestibulo-cochléaire ou le nerf olfactif, alors que d'autres remplissent des tâches motrices ou mixtes.

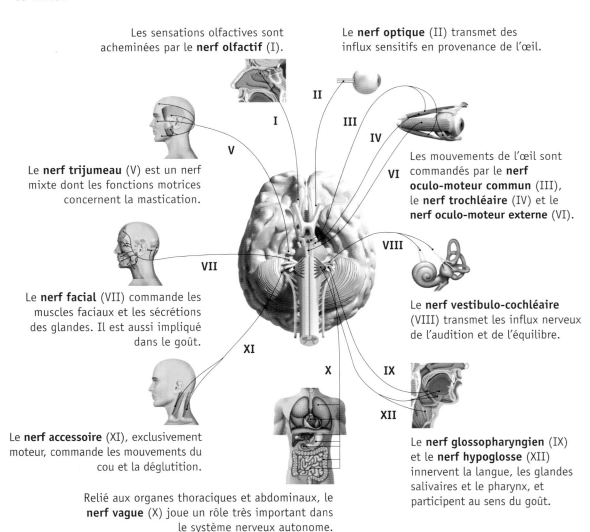

Les sensations olfactives sont acheminées par le **nerf olfactif** (I).

Le **nerf optique** (II) transmet des influx sensitifs en provenance de l'œil.

Le **nerf trijumeau** (V) est un nerf mixte dont les fonctions motrices concernent la mastication.

Les mouvements de l'œil sont commandés par le **nerf oculo-moteur commun** (III), le **nerf trochléaire** (IV) et le **nerf oculo-moteur externe** (VI).

Le **nerf facial** (VII) commande les muscles faciaux et les sécrétions des glandes. Il est aussi impliqué dans le goût.

Le **nerf vestibulo-cochléaire** (VIII) transmet les influx nerveux de l'audition et de l'équilibre.

Le **nerf accessoire** (XI), exclusivement moteur, commande les mouvements du cou et la déglutition.

Le **nerf glossopharyngien** (IX) et le **nerf hypoglosse** (XII) innervent la langue, les glandes salivaires et le pharynx, et participent au sens du goût.

Relié aux organes thoraciques et abdominaux, le **nerf vague** (X) joue un rôle très important dans le système nerveux autonome.

Une gaine de tissu conjonctif appelée **périnèvre** enveloppe chaque faisceau.

L'ANATOMIE D'UN NERF

Dans le système nerveux périphérique, les axones des neurones, généralement recouverts de myéline, se regroupent en faisceaux. Plusieurs faisceaux sont à leur tour réunis par une enveloppe de tissu conjonctif, l'épinèvre, pour former un nerf.

axone myélinisé

épinèvre

Un **faisceau nerveux** peut contenir à la fois des neurones sensitifs et des neurones moteurs.

vaisseau sanguin

Le **plexus brachial** se ramifie en trois nerfs principaux (nerf radial, nerf médian, nerf cubital) qui innervent la presque totalité du membre supérieur.

LES NERFS RACHIDIENS

Reliés à la moelle épinière par une racine sensitive et une racine motrice, les 62 nerfs rachidiens sont tous des nerfs mixtes. Ils sortent du canal vertébral par d'étroits passages entre les vertèbres, les trous de conjugaison, puis ils se divisent en plusieurs rameaux (rameau ventral, rameau dorsal, rameaux communicants) et se joignent les uns aux autres pour former des réseaux locaux, les plexus.

Les 8 paires de **nerfs cervicaux** innervent la tête, le cou, les épaules et les membres supérieurs.

Les rameaux ventraux des 12 paires de **nerfs thoraciques** ne forment pas de plexus mais s'alignent entre les côtes : on les appelle les nerfs intercostaux.

nerf radial

nerf médian

Les 5 paires de **nerfs lombaires** desservent principalement l'abdomen et l'avant des membres inférieurs.

nerf cubital

Les organes génitaux, les fesses et la majeure partie de l'arrière des membres inférieurs sont innervés par les 5 paires de **nerfs sacrés**.

La paire de **nerfs coccygiens** est peu développée.

Branche principale du plexus sacré, le **nerf sciatique** est le plus gros nerf du corps. Il compte plusieurs ramifications (nerf tibial, nerf péronier, nerfs plantaires) qui innervent la partie postérieure du membre inférieur.

La face antérieure de la cuisse est innervée par le **nerf crural**.

nerf péronier

nerf tibial

Les **nerfs plantaires** interne et externe innervent le dessous du pied.

Les fonctions motrices du système nerveux

Comment les muscles du corps sont activés

Grâce à ses muscles squelettiques, le corps humain est capable d'exécuter des mouvements très variés et très précis. C'est le cortex moteur, une zone du cerveau située à l'arrière des lobes frontaux, qui est affecté à ces fonctions motrices volontaires. Les muscles lisses assurant la contraction et la relaxation des organes internes dépendent pour leur part du système nerveux autonome, principalement dirigé par l'hypothalamus. Enfin, certaines actions musculaires ne sont pas commandées par le cerveau mais résultent de la stimulation réflexe des neurones moteurs dans la moelle épinière.

LE SYSTÈME NERVEUX AUTONOME

Qu'il s'agisse des contractions du cœur ou de la sécrétion de salive, l'action des organes viscéraux et des glandes du corps n'est pas commandée consciemment, mais par l'intermédiaire du système nerveux autonome. Celui-ci fonctionne par deux voies distinctes : le système sympathique, qui emprunte la moelle épinière et le relais d'une chaîne de ganglions, et le système parasympathique, qui utilise en grande partie les faisceaux nerveux du nerf vague (Xe nerf crânien).

SYSTÈME SYMPATHIQUE   SYSTÈME PARASYMPATHIQUE

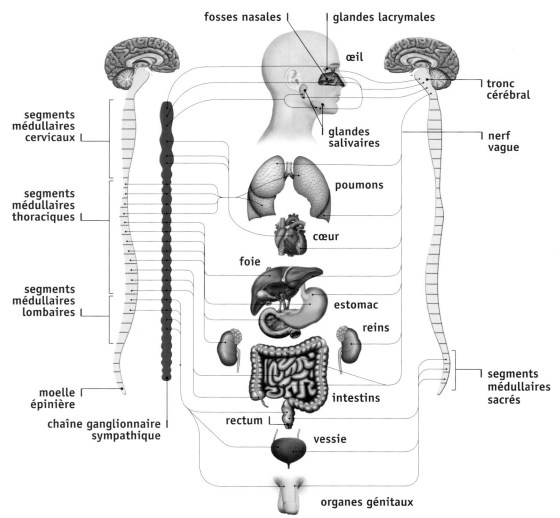

LES MOUVEMENTS VOLONTAIRES

Les muscles squelettiques de notre corps peuvent être contractés consciemment, grâce à un message nerveux issu du cortex moteur ❶. Le message parvient dans le tronc cérébral ❷, puis descend dans la moelle épinière ❸. Il emprunte alors un nerf rachidien qui stimule le muscle voulu ❹. Les récepteurs sensitifs du muscle émettent à leur tour un message, destiné à contrôler le mouvement. Ce signal remonte jusqu'au cervelet ❺, qui compare le mouvement effectué avec les mouvements appris et mémorisés depuis l'enfance. Le cervelet envoie un message inhibiteur ❻ au muscle, afin de contrôler son action. Parallèlement, il agit sur le cortex moteur, grâce au relais du thalamus ❼, pour ajuster sa commande.

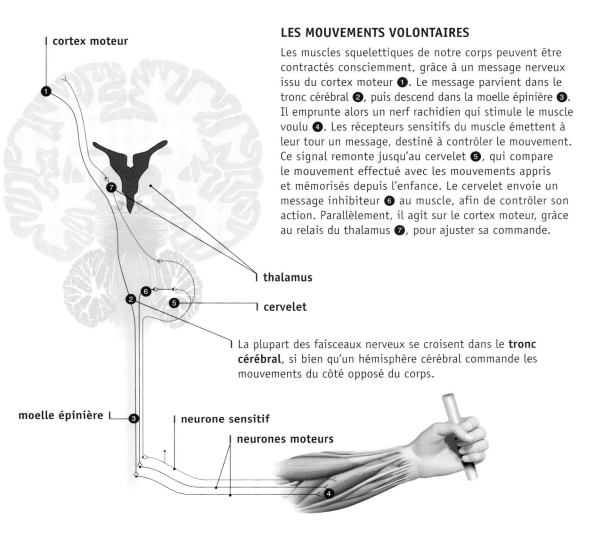

cortex moteur

thalamus

cervelet

La plupart des faisceaux nerveux se croisent dans le **tronc cérébral**, si bien qu'un hémisphère cérébral commande les mouvements du côté opposé du corps.

moelle épinière

neurone sensitif

neurones moteurs

LE RÉFLEXE ET LA RÉACTION À LA DOULEUR

Lorsque la main saisit un objet brûlant ❶, des récepteurs de la peau (les nocicepteurs) émettent un message vers la moelle épinière ❷. En quelques centièmes de seconde, celle-ci commande un mouvement musculaire ❸ permettant de lâcher l'objet. C'est ce qu'on appelle le réflexe. Parallèlement, d'autres capteurs sensoriels envoient un message à l'aire somesthésique du cerveau ❹ pour lui signaler la sensation de toucher. Une ou deux secondes plus tard, l'influx des nocicepteurs parvient à son tour au cortex, ce qui provoque la sensation de douleur ❺. Le système limbique étant également activé, des émotions sont ressenties et la sensation est mémorisée. Le cerveau peut alors décider d'une réaction consciente ❻, comme celle de souffler sur la blessure pour inhiber les récepteurs et diminuer la douleur.

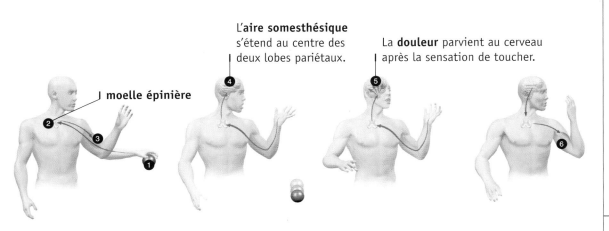

L'**aire somesthésique** s'étend au centre des deux lobes pariétaux.

La **douleur** parvient au cerveau après la sensation de toucher.

moelle épinière

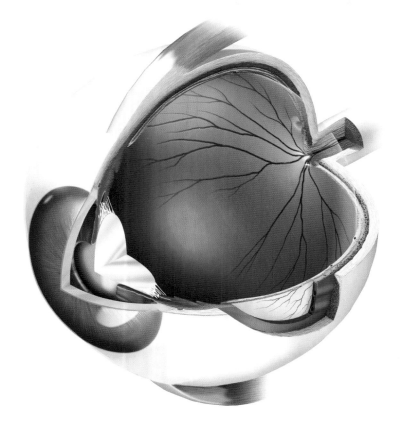

Toucher, voir, entendre, goûter, sentir. Pour connaître le monde qui nous entoure, nous disposons de cinq systèmes de perception complémentaires : les sens. La détection des stimulus physiques est assurée par des organes spécialisés étonnamment sensibles. Transformées en influx nerveux, ces informations sont ensuite dirigées vers le système nerveux central, qui les traite pour nous donner une représentation consciente de notre environnement.

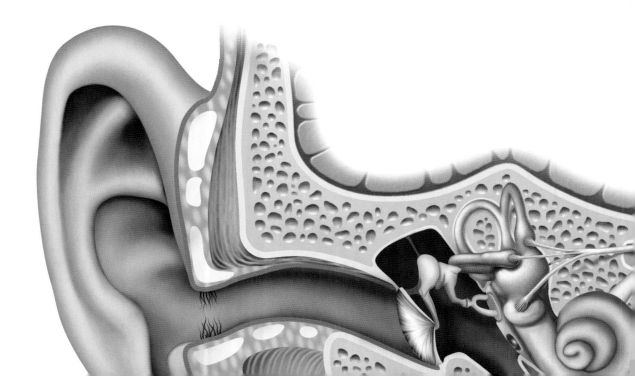

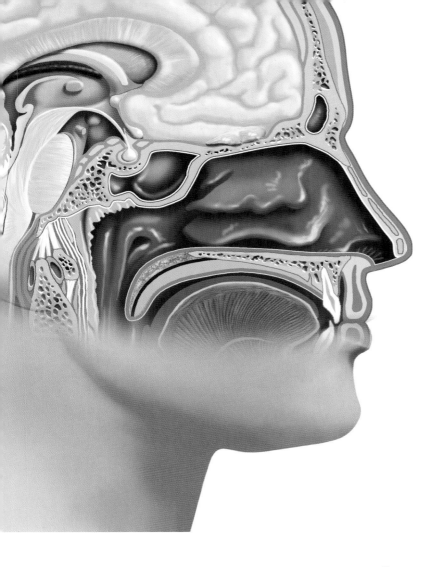

Les cinq sens

Le toucher

Comment la peau communique avec le cerveau

Même si la sensation de douleur n'est pas agréable, son rôle est vital pour l'organisme : elle attire l'attention du système nerveux central sur les blessures, brûlures, piqûres et toute autre agression mécanique, thermique ou chimique subie par l'organisme. Sans ce système d'alarme, notre corps courrait le danger de ne pas remarquer qu'il est attaqué.

Dès qu'une sensation tactile est détectée par les récepteurs spécialisés de la peau, ceux-ci convertissent l'information en signaux nerveux qui la transmettent jusqu'au cerveau par l'intermédiaire de différents faisceaux de nerfs. Il revient alors au système nerveux central de traiter le message et de commander les actions nécessaires (défense, manipulation, posture...).

LES RÉCEPTEURS TACTILES

Notre peau est sujette à plusieurs types de sensations : les sensations tactiles proprement dites (toucher léger, vibrations, pressions), qui permettent d'apprécier le poids, les dimensions et la consistance d'un objet ; les sensations thermiques (la température) ; et les sensations douloureuses, produites chaque fois que notre peau est lésée. Ces stimuli sont captés par des récepteurs répartis dans le derme et l'épiderme, qui sont généralement spécialisés dans un ou plusieurs types de sensations.

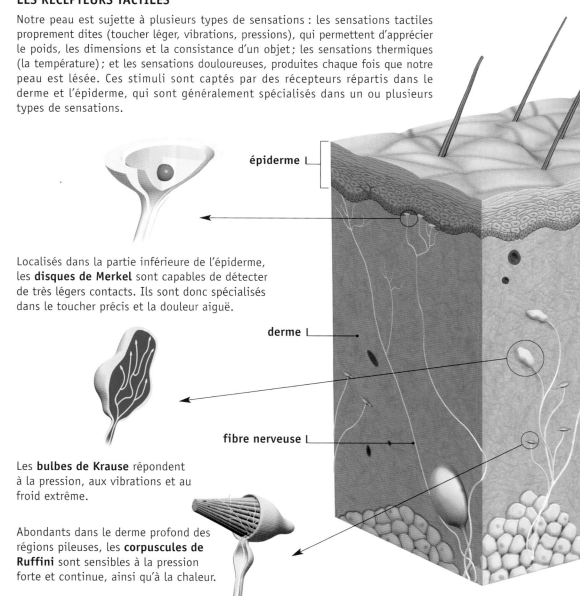

épiderme

Localisés dans la partie inférieure de l'épiderme, les **disques de Merkel** sont capables de détecter de très légers contacts. Ils sont donc spécialisés dans le toucher précis et la douleur aiguë.

derme

fibre nerveuse

Les **bulbes de Krause** répondent à la pression, aux vibrations et au froid extrême.

Abondants dans le derme profond des régions pileuses, les **corpuscules de Ruffini** sont sensibles à la pression forte et continue, ainsi qu'à la chaleur.

LES VOIES NERVEUSES DU TOUCHER

Selon leur nature, les signaux nerveux sensitifs empruntent deux voies différentes jusqu'au cerveau. Les signaux de toucher précis (corpuscules de Meissner) gagnent directement le tronc cérébral. Ils parviennent ainsi très rapidement (quelques centièmes de seconde) au cortex somesthésique.

Au contraire, les signaux de la douleur (terminaisons nerveuses libres) et du toucher diffus (corpuscules de Pacini) sont véhiculés par la voie spino-thalamique : ils sont analysés dans la matière grise de la moelle épinière, qui les sélectionne avant de les envoyer au cerveau. Le délai de transmission est par conséquent plus long : une seconde s'écoule entre le stimulus et sa réception par le cortex.

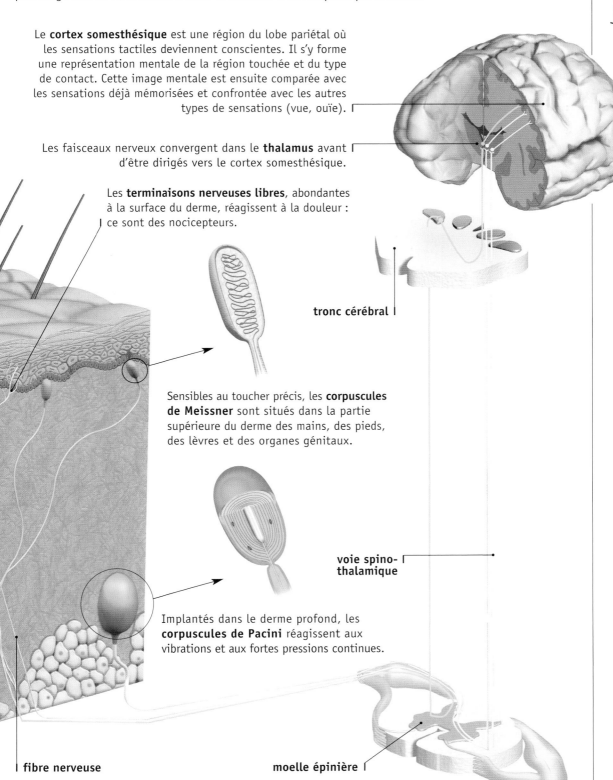

Le **cortex somesthésique** est une région du lobe pariétal où les sensations tactiles deviennent conscientes. Il s'y forme une représentation mentale de la région touchée et du type de contact. Cette image mentale est ensuite comparée avec les sensations déjà mémorisées et confrontée avec les autres types de sensations (vue, ouïe).

Les faisceaux nerveux convergent dans le **thalamus** avant d'être dirigés vers le cortex somesthésique.

Les **terminaisons nerveuses libres**, abondantes à la surface du derme, réagissent à la douleur : ce sont des nocicepteurs.

tronc cérébral

Sensibles au toucher précis, les **corpuscules de Meissner** sont situés dans la partie supérieure du derme des mains, des pieds, des lèvres et des organes génitaux.

voie spino-thalamique

Implantés dans le derme profond, les **corpuscules de Pacini** réagissent aux vibrations et aux fortes pressions continues.

fibre nerveuse

moelle épinière

L'œil

Une machine à capter la lumière

Bien qu'il ne pèse que 7 grammes et que son diamètre moyen n'atteigne que 24 millimètres, l'œil humain est une caméra biologique dont la complexité et la performance dépassent largement les appareils optiques les plus modernes. Ce système optique perfectionné comprend deux lentilles et une pupille chargées de dévier une quantité précise de rayons lumineux vers la rétine, où plus de 130 millions de photorécepteurs convertissent la lumière en signaux nerveux interprétables par le cerveau.

À L'INTÉRIEUR DU GLOBE OCULAIRE

Encastré dans une orbite osseuse, l'œil est un corps creux rempli d'une substance gélatineuse appelée corps vitré. Celui-ci est recouvert de plusieurs enveloppes successives qui forment la paroi du globe oculaire : la rétine, la choroïde et la sclérotique. Dans la partie antérieure de l'œil, la sclérotique devient parfaitement transparente pour former la cornée.

La lumière pénètre dans l'œil par la cornée ❶, qui constitue la principale lentille oculaire. Elle traverse ensuite l'orifice de la pupille ❷, derrière laquelle se trouve le cristallin ❸. Cette lentille complète la convergence des rayons lumineux vers la rétine ❹.

rétine

La **choroïde** est une couche vascularisée située entre la sclérotique et la rétine. Elle apporte à la rétine des substances nutritives et de l'oxygène.

D'apparence blanchâtre, la **sclérotique** est la couche la plus épaisse de la paroi du globe oculaire. Recouverte d'une muqueuse, la conjonctive, elle protège les fragiles structures internes de l'œil.

corps vitré

Par l'intermédiaire de ligaments suspenseurs nommés zonules, les **muscles du corps ciliaire** étirent ou relâchent le cristallin et modifient ainsi sa courbure.

La forme courbe de la **cornée** lui permet de dévier fortement les rayons lumineux vers l'intérieur de l'œil.

L'ouverture de la **pupille** varie pour s'adapter à la quantité de rayons lumineux qui lui parvient.

Le **cristallin** est une lentille dotée de deux courbures convexes.

L'**iris** est un muscle dont la dilatation ou la contraction déterminent l'ouverture de la pupille. Sa couleur varie selon les individus.

Le globe oculaire est doté de six **muscles extra-oculaires** qui lui permettent de bouger dans différentes directions.

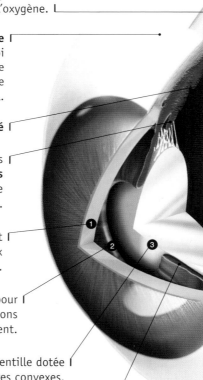

LE RÔLE DE LA RÉTINE

Les rayons lumineux ❺ qui parviennent jusqu'à la rétine traversent plusieurs couches de cellules avant d'atteindre les cellules photoréceptrices ❻, les seules possédant des pigments capables de transformer la lumière en impulsions électriques. Par le biais de neurones intermédiaires ❼, ces impulsions sont transmises au nerf optique ❽ qui achemine l'information jusqu'au cerveau.

La rétine contient deux types de cellules photoréceptrices : les cônes et les bâtonnets. Ces derniers, largement les plus nombreux (125 millions), ne perçoivent pas les couleurs mais ils sont très sensibles aux contrastes lumineux. Au contraire, les cônes (6 millions) détectent parfaitement bien les couleurs.

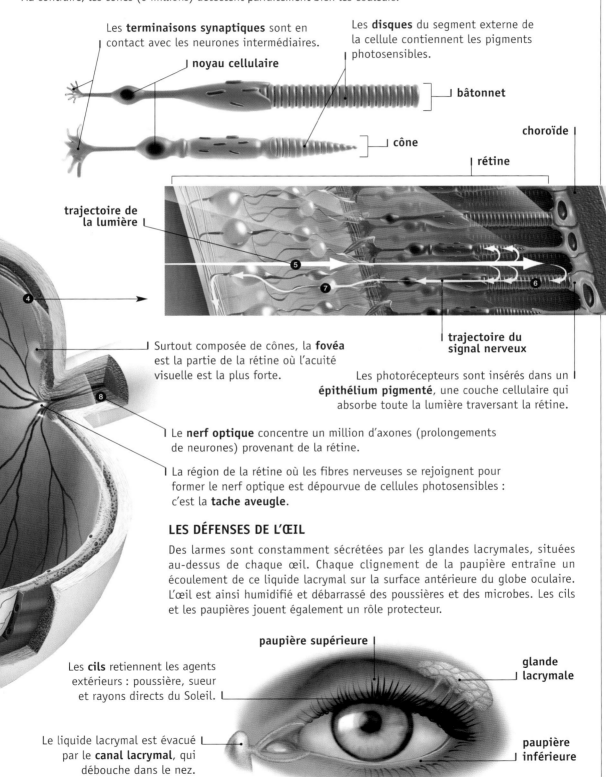

Les **terminaisons synaptiques** sont en contact avec les neurones intermédiaires.

noyau cellulaire

Les **disques** du segment externe de la cellule contiennent les pigments photosensibles.

bâtonnet

cône

choroïde

rétine

trajectoire de la lumière

trajectoire du signal nerveux

Surtout composée de cônes, la **fovéa** est la partie de la rétine où l'acuité visuelle est la plus forte.

Les photorécepteurs sont insérés dans un **épithélium pigmenté**, une couche cellulaire qui absorbe toute la lumière traversant la rétine.

Le **nerf optique** concentre un million d'axones (prolongements de neurones) provenant de la rétine.

La région de la rétine où les fibres nerveuses se rejoignent pour former le nerf optique est dépourvue de cellules photosensibles : c'est la **tache aveugle**.

LES DÉFENSES DE L'ŒIL

Des larmes sont constamment sécrétées par les glandes lacrymales, situées au-dessus de chaque œil. Chaque clignement de la paupière entraîne un écoulement de ce liquide lacrymal sur la surface antérieure du globe oculaire. L'œil est ainsi humidifié et débarrassé des poussières et des microbes. Les cils et les paupières jouent également un rôle protecteur.

paupière supérieure

glande lacrymale

Les **cils** retiennent les agents extérieurs : poussière, sueur et rayons directs du Soleil.

Le liquide lacrymal est évacué par le **canal lacrymal**, qui débouche dans le nez.

paupière inférieure

La vue

Notre sens le plus développé

L'être humain possède une sensibilité visuelle remarquable, largement supérieure à celle des autres sens. La perception des formes, des distances, des couleurs et des mouvements dans notre environnement est un processus complexe qui met en œuvre une chaîne d'éléments optiques et nerveux, de la cornée jusqu'au cortex.

LA MISE AU POINT

Les rayons lumineux provenant d'un objet que nous regardons sont d'abord déviés par la cornée pour traverser ensuite le cristallin. Contrairement à la cornée, la courbure du cristallin est variable, ce qui lui permet de faire converger sur la rétine l'image d'objets situés à différentes distances. Cependant, la précision de ce système optique le rend particulièrement fragile : la moindre imperfection dans la forme du globe oculaire ou dans la courbure de la cornée entraîne un déséquilibre que le cristallin ne parvient pas toujours à compenser. La mise au point de l'image ne se faisant pas sur la rétine mais devant ou derrière elle, la vision est floue.

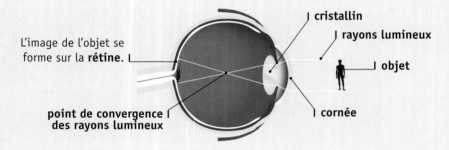

L'image de l'objet se forme sur la **rétine**.

cristallin

rayons lumineux

objet

cornée

point de convergence des rayons lumineux

La **myopie** est un défaut où l'image d'objets lointains se forme devant la rétine. On corrige cette situation avec une lentille concave, qui repousse le point de convergence des rayons vers l'arrière de l'œil.

œil myope

lentille concave

Au contraire, dans les cas d'**hypermétropie**, l'image se forme derrière la rétine. Pour y remédier, on utilise une lentille convexe, qui rapproche le point de convergence vers l'avant de l'œil.

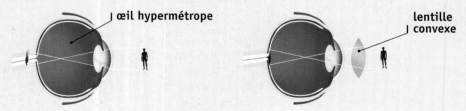

œil hypermétrope

lentille convexe

L'**astigmatisme** est un défaut de courbure de la cornée ou du cristallin empêchant une convergence homogène des rayons lumineux. Une lentille asymétrique peut corriger ce défaut.

œil astigmate

lentille asymétrique

cornée

LA VISION, DE LA CORNÉE AU CORTEX

Lorsqu'un objet **❶** entre dans notre champ de vision, chaque œil le perçoit sous un angle légèrement différent, ce qui nous permet d'en apprécier la distance et de mieux voir son relief en trois dimensions. En passant par la cornée et le cristallin **❷**, les rayons lumineux sont déviés, si bien que l'image de l'objet est inversée lorsqu'elle atteint la rétine **❸**. L'image optique est alors convertie par les cellules photoréceptrices en impulsions électriques qui empruntent le nerf optique **❹**. Les deux nerfs optiques se rencontrent au chiasma optique **❺**, puis gagnent les corps genouillés latéraux **❻**, des excroissances du thalamus. L'information est ensuite véhiculée par les radiations optiques jusqu'au cortex visuel **❼**, où l'image est reconstruite à l'endroit **❽**.

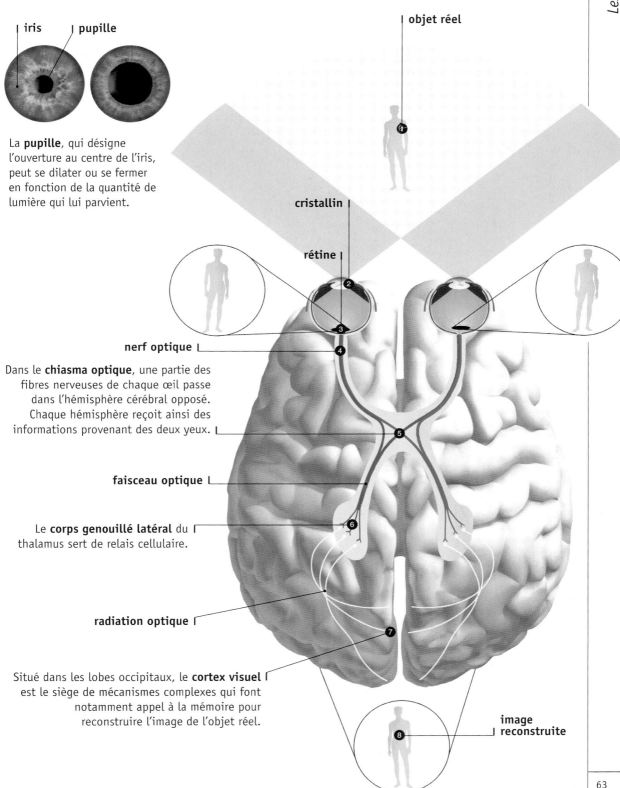

iris   pupille

La **pupille**, qui désigne l'ouverture au centre de l'iris, peut se dilater ou se fermer en fonction de la quantité de lumière qui lui parvient.

objet réel

cristallin

rétine

nerf optique

Dans le **chiasma optique**, une partie des fibres nerveuses de chaque œil passe dans l'hémisphère cérébral opposé. Chaque hémisphère reçoit ainsi des informations provenant des deux yeux.

faisceau optique

Le **corps genouillé latéral** du thalamus sert de relais cellulaire.

radiation optique

Situé dans les lobes occipitaux, le **cortex visuel** est le siège de mécanismes complexes qui font notamment appel à la mémoire pour reconstruire l'image de l'objet réel.

image reconstruite

Les organes de l'ouïe

Les cinq sens

Du bruit d'une aiguille tombant sur une table de verre jusqu'au grondement assourdissant d'un avion qui décolle, notre oreille nous permet de distinguer près de 400 000 sons. L'organe responsable de notre audition ne se limite cependant pas au cornet cartilagineux externe. Ce sont plutôt les petites et fragiles structures internes, nichées dans une cavité osseuse, qui assurent l'essentiel du mécanisme auditif.

hélix |

LES TROIS PARTIES DE L'OREILLE

Notre système auditif comprend trois parties. L'oreille externe est essentiellement constituée du pavillon, qui capte et dirige les vibrations sonores vers le conduit auditif. Délimitée par une fine membrane (le tympan), l'oreille moyenne contient un assemblage de trois osselets, longs de quelques millimètres : le marteau, l'enclume et l'étrier. Cette chambre communique avec le nez et la gorge par un étroit conduit, la trompe d'Eustache. Enfin, l'oreille interne comprend la cochlée (ou limaçon), une spirale remplie de liquide, et le nerf cochléaire.

Le **pavillon** possède de nombreux replis | cartilagineux et cutanés destinés à capter les sons.

Le **conduit auditif externe** est tapissé de | poils et recouvert de cérumen, une substance grasse qui retient les poussières.

Les **poils** du canal auditif jouent un rôle | protecteur.

Prolongement charnu du pavillon, le **lobe** | de l'oreille ne participe pas à l'audition.

oreille externe

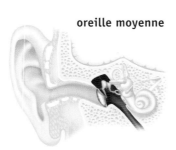
oreille moyenne

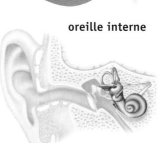
oreille interne

LE CORTEX AUDITIF

Les messages auditifs, relayés par le nerf cochléaire, aboutissent dans une zone du cortex cérébral, le cortex auditif, où l'on distingue deux aires. Le cortex auditif primaire est le siège de la représentation précise des sons, tandis que le cortex auditif secondaire, qui l'entoure, assure une représentation plus diffuse des sons perçus. Ces aires se trouvent à proximité immédiate de l'aire de Wernicke, qui est impliquée dans la compréhension du langage.

aire de Wernicke

cortex auditif primaire

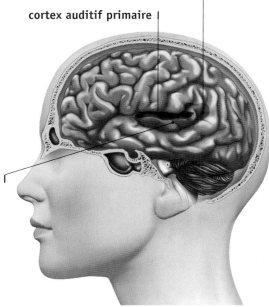

cortex auditif secondaire

tympan

Les trois **canaux semi-circulaires** sont responsables de l'équilibre.

vestibule

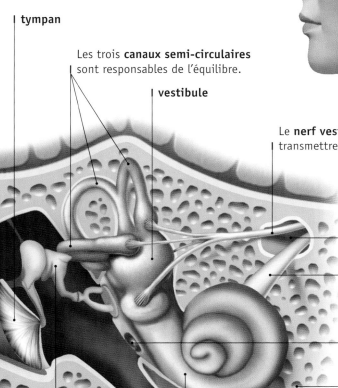

Le **nerf vestibulaire** est chargé de transmettre des messages liés à l'équilibre.

Le nerf cochléaire et le nerf vestibulaire se rejoignent dans le **conduit auditif interne** pour former le VIIIe nerf crânien.

Le **nerf cochléaire** véhicule les signaux nerveux de l'audition.

fenêtre ronde

os temporal

La **trompe d'Eustache** permet d'équilibrer la pression de part et d'autre du tympan.

Remplie de liquide, la **cochlée** se niche dans une cavité de l'os temporal. Un système de cloisons membraneuses et osseuses y délimite trois canaux qui s'enroulent en spirale autour d'un axe central. Un de ces canaux contient l'organe de Corti, qui constitue le véritable organe de l'ouïe et qui est relié au nerf cochléaire.

marteau

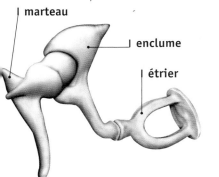

enclume

étrier

Les **osselets** de l'oreille moyenne (marteau, enclume, étrier) sont les plus petits os du corps humain. L'étrier ne mesure que 4 mm de longueur.

Les cinq sens

La perception des sons

La trajectoire des vibrations dans l'oreille

Notre système auditif fonctionne comme un piège complexe qui conduit les vibrations sonores vers plusieurs milieux successifs : aérien dans l'oreille externe, solide dans l'oreille moyenne puis liquide dans l'oreille interne. Ce n'est qu'au terme de cette série de transmissions que les récepteurs proprement dits, constituant l'organe de Corti, détectent la fréquence et l'intensité des sons.

DU TYMPAN À LA COCHLÉE

Dirigés dans le conduit auditif externe par le pavillon, les sons font vibrer le tympan ❶. Les osselets ❷, situés derrière cette membrane, amplifient la vibration et la transmettent jusqu'à l'entrée de l'oreille interne, la fenêtre ovale ❸. Les vibrations sonores passent alors dans la rampe vestibulaire de la cochlée ❹ et stimulent l'organe de Corti. Les sons les plus aigus sont ressentis à la base de la spirale et les plus graves en son centre. Parvenues à l'hélicotrème ❺, les vibrations empruntent la rampe tympanique, qui les fait sortir de la cochlée par la fenêtre ronde ❻.

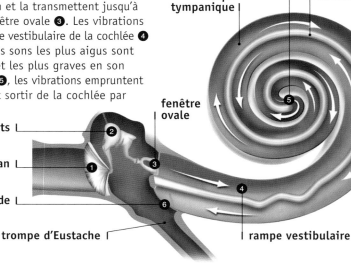

À L'INTÉRIEUR DE LA COCHLÉE

La cochlée se compose de trois canaux parallèles enroulés en spirale et remplis de liquide. Le canal cochléaire est délimité par des membranes qui le séparent totalement des rampes vestibulaire et tympanique. Celles-ci communiquent par un passage appelé hélicotrème, situé à l'apex de la cochlée.

En empruntant la rampe vestibulaire, les ondes sonores font vibrer la membrane basilaire, contre laquelle est situé l'organe de Corti. Les cellules ciliées qui le composent transforment le mouvement vibratoire en impulsions nerveuses, qui sont transmises au cerveau par le nerf cochléaire. La rampe tympanique permet aux ondes de s'échapper de la cochlée.

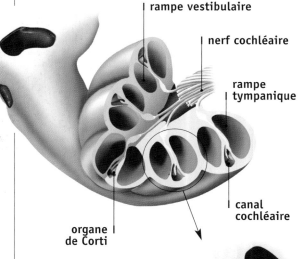

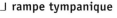

L'épaisseur de la **membrane basilaire** varie entre la base de la cochlée et son apex.

Situées entre la membrane basilaire et la membrane tectoriale, les **cellules ciliées** de l'organe de Corti réagissent au moindre déplacement en générant une impulsion nerveuse.

L'équilibre

Un sixième sens ?

Nos cinq sens nous renseignent sur notre environnement, mais ils ne nous disent pas tout sur la position de notre corps par rapport à l'espace qui nous entoure. Cette information est pourtant essentielle pour conserver l'équilibre et nous déplacer efficacement. L'organe responsable de ce « sixième sens » est situé dans l'oreille interne, où il côtoie celui de l'audition.

L'ÉQUILIBRE DYNAMIQUE

Trois canaux semi-circulaires, correspondant aux trois dimensions de l'espace, évaluent la position de la tête lorsqu'elle est soumise à un mouvement angulaire. Rempli d'endolymphe, chaque canal se termine par une ampoule. Ce renflement contient des cellules ciliées dont les cils sont enveloppés dans une masse gélatineuse en forme de cône, la cupule.

endolymphe

Lorsque la tête est immobile, la cupule ne bouge pas.

cupule

cellule ciliée

Quand un mouvement s'exerce sur la tête, la cupule se déplace et stimule les cellules ciliées, qui envoient un message nerveux par le nerf vestibulaire.

Si le mouvement s'arrête brusquement, l'endolymphe continue de bouger pendant quelques instants, ce qui peut causer un déséquilibre ou un étourdissement.

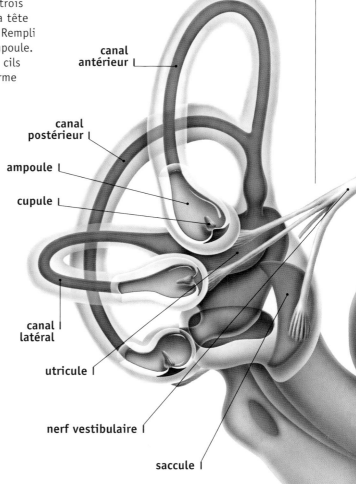

canal antérieur

canal postérieur

ampoule

cupule

canal latéral

utricule

nerf vestibulaire

saccule

L'ÉQUILIBRE STATIQUE

L'équilibre statique, qui permet d'évaluer la position de la tête par rapport au sol, est obtenu grâce aux cellules ciliées de l'utricule et du saccule, deux poches membraneuses de l'oreille interne. Les cils des cellules ciliées ❶ baignent dans une masse gélatineuse qui contient de petites particules, les otolithes. Lorsque la tête est penchée, ces particules subissent l'effet de la gravité et entraînent la masse gélatineuse ❷. En s'inclinant, les cils modifient les influx nerveux générés par les cellules. Ce mécanisme permet au corps de détecter une variation de 0,5° dans l'inclinaison de la tête.

masse gélatineuse

masse gélatineuse

otolithe

cellule ciliée

cil

fibre nerveuse

Le goût

Un sens limité

Même si les gourmands ont de la peine à le reconnaître, l'étendue de notre capacité gustative se limite à quatre saveurs de base (le sucré, le salé, l'acide et l'amer) et son acuité est très réduite. Une substance chimique doit ainsi être 25 000 fois plus concentrée pour être perçue par les récepteurs du goût que par ceux de l'odorat.

Ce que nous appelons le « goût » d'un aliment n'est d'ailleurs bien souvent que son arôme, perçu par les récepteurs olfactifs dans la cavité nasale. À cette combinaison de sensations gustatives et olfactives s'ajoutent des sensations tactiles (la consistance de l'aliment) et thermiques (sa température) pour nous informer sur la qualité de ce que nous mettons en bouche.

Les **amygdales palatines**, situées de part et d'autre de la langue, contribuent à la défense immunitaire en emprisonnant les bactéries qui pénètrent dans l'organisme par voie aérienne ou alimentaire.

L'**arc palato-glosse** est un repli musculaire qui relie la langue au palais.

À QUOI SERT LA SALIVE ?

Les substances sapides (c'est-à-dire qui ont une saveur) doivent se trouver sous forme liquide pour faire réagir les papilles gustatives. C'est donc la salive qui, en dissolvant les aliments, amorce le processus de gustation. Ce liquide est produit par trois paires de **glandes salivaires** principales (les glandes parotides, sublinguales et sous-maxillaires) et par des glandes secondaires situées dans les muqueuses de la cavité buccale. Ces glandes sont activées par réflexe : de nombreux stimulus visuels, tactiles, olfactifs, gustatifs et psychologiques peuvent provoquer un flot de salive.

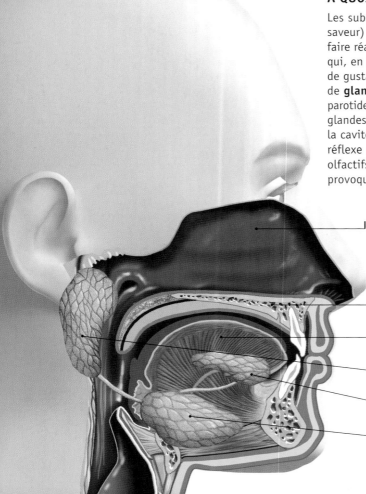

cavité nasale

Le **palais** est la paroi séparant la bouche de la cavité nasale. Il comprend une partie osseuse à l'avant (la voûte) et une partie musculo-membraneuse à l'arrière (le voile).

langue

glande parotide

glande sublinguale

glande sous-maxillaire

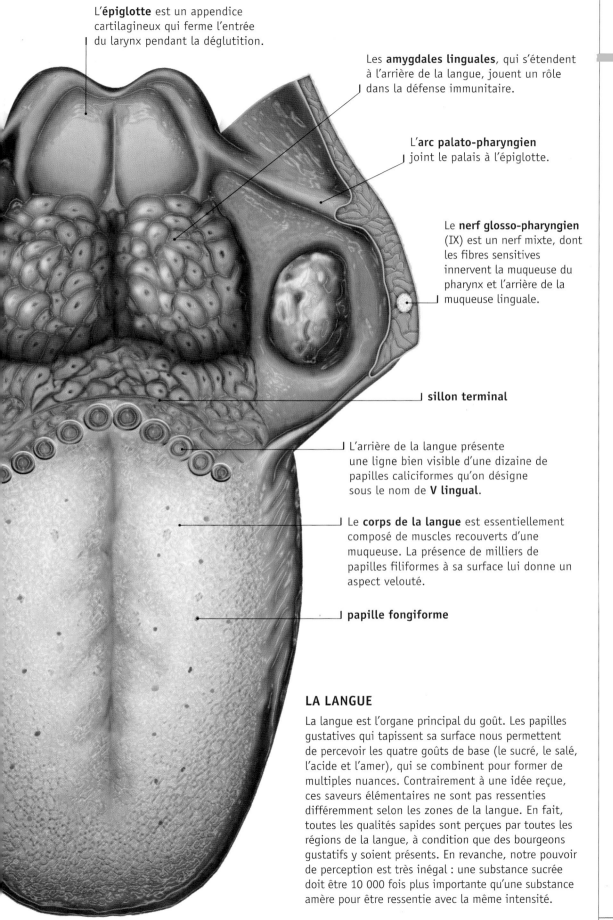

L'**épiglotte** est un appendice cartilagineux qui ferme l'entrée du larynx pendant la déglutition.

Les **amygdales linguales**, qui s'étendent à l'arrière de la langue, jouent un rôle dans la défense immunitaire.

L'**arc palato-pharyngien** joint le palais à l'épiglotte.

Le **nerf glosso-pharyngien** (IX) est un nerf mixte, dont les fibres sensitives innervent la muqueuse du pharynx et l'arrière de la muqueuse linguale.

sillon terminal

L'arrière de la langue présente une ligne bien visible d'une dizaine de papilles caliciformes qu'on désigne sous le nom de **V lingual**.

Le **corps de la langue** est essentiellement composé de muscles recouverts d'une muqueuse. La présence de milliers de papilles filiformes à sa surface lui donne un aspect velouté.

papille fongiforme

LA LANGUE

La langue est l'organe principal du goût. Les papilles gustatives qui tapissent sa surface nous permettent de percevoir les quatre goûts de base (le sucré, le salé, l'acide et l'amer), qui se combinent pour former de multiples nuances. Contrairement à une idée reçue, ces saveurs élémentaires ne sont pas ressenties différemment selon les zones de la langue. En fait, toutes les qualités sapides sont perçues par toutes les régions de la langue, à condition que des bourgeons gustatifs y soient présents. En revanche, notre pouvoir de perception est très inégal : une substance sucrée doit être 10 000 fois plus importante qu'une substance amère pour être ressentie avec la même intensité.

Les récepteurs du goût

Un processus chimique

Le sens du goût fait appel à un très grand nombre de récepteurs, nichés dans les replis des papilles gustatives. Chacun de nous possède entre 200 000 et 500 000 cellules gustatives, réparties sur le dos de la langue, mais aussi dans la gorge, sur la face interne des joues, sur la partie arrière du palais et sur l'épiglotte. Ces récepteurs se renouvellent sans cesse, car leur durée de vie ne dépasse pas dix jours. Avec l'âge, la régénération des cellules gustatives se fait de moins en moins bien, ce qui entraîne une perte partielle du goût.

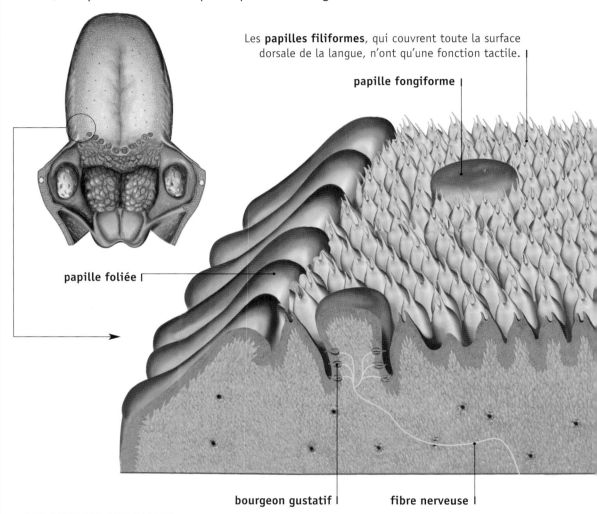

Les **papilles filiformes**, qui couvrent toute la surface dorsale de la langue, n'ont qu'une fonction tactile.

papille fongiforme

papille foliée

bourgeon gustatif   **fibre nerveuse**

LES PAPILLES LINGUALES

L'aspect bosselé du dessus de la langue est dû à la présence de protubérances appelées papilles linguales. Ces irrégularités, dont certaines sont également situées sur le palais et dans la gorge, prennent plusieurs formes différentes, quoique difficilement visibles à l'œil nu.

Les plus volumineuses, au nombre d'une dizaine, sont les papilles caliciformes. Entourées d'un sillon, elles s'ordonnent en dessinant un V à l'arrière de la langue. Moins grandes mais plus nombreuses, les papilles fongiformes se présentent comme de petites boules rouges disséminées sur le dessus de la langue. Les papilles filiformes, qui adoptent une forme conique terminée par une crête, se répartissent sur la totalité du dos de la langue. Enfin, les papilles foliées occupent les deux bords latéraux postérieurs de la langue, où elles forment des séries de sillons parallèles. Seules les papilles caliciformes et, dans une moindre mesure, les papilles fongiformes possèdent des bourgeons gustatifs.

LES BOURGEONS DU GOÛT

L'épithélium (la couche cellulaire superficielle) des papilles caliciformes et fongiformes contient de nombreuses cellules gustatives. Regroupées en petits bourgeons dont le diamètre ne dépasse pas 0,05 mm, ces cellules possèdent à leur extrémité des cils, ou microvillosités, qui affleurent à la surface de l'épithélium et baignent dans la salive. Lorsque ces filaments entrent en contact avec une molécule correspondant à l'une ou l'autre des quatre saveurs de base, il se produit une cascade de réactions biochimiques. La cellule génère alors un message nerveux qui est transmis jusqu'au cerveau.

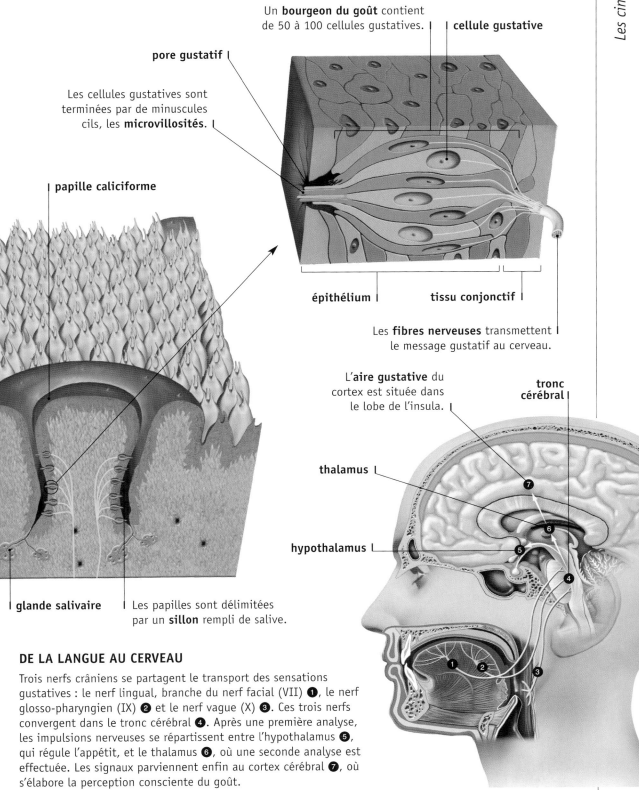

Un **bourgeon du goût** contient de 50 à 100 cellules gustatives.

cellule gustative

pore gustatif

Les cellules gustatives sont terminées par de minuscules cils, les **microvillosités**.

papille caliciforme

épithélium

tissu conjonctif

Les **fibres nerveuses** transmettent le message gustatif au cerveau.

L'**aire gustative** du cortex est située dans le lobe de l'insula.

tronc cérébral

thalamus

hypothalamus

glande salivaire Les papilles sont délimitées par un **sillon** rempli de salive.

DE LA LANGUE AU CERVEAU

Trois nerfs crâniens se partagent le transport des sensations gustatives : le nerf lingual, branche du nerf facial (VII) ❶, le nerf glosso-pharyngien (IX) ❷ et le nerf vague (X) ❸. Ces trois nerfs convergent dans le tronc cérébral ❹. Après une première analyse, les impulsions nerveuses se répartissent entre l'hypothalamus ❺, qui régule l'appétit, et le thalamus ❻, où une seconde analyse est effectuée. Les signaux parviennent enfin au cortex cérébral ❼, où s'élabore la perception consciente du goût.

L'odorat

Un sens encore méconnu

L'odorat constitue sans doute notre sens le plus mystérieux. Non seulement ses mécanismes ne sont pas encore totalement compris, mais ses organes, dissimulés à l'intérieur de notre nez, demeurent habituellement invisibles. L'épithélium olfactif, la couche cellulaire responsable de la détection des odeurs, couvre pourtant une surface de 5 à 10 cm^2 de nos fosses nasales et regroupe de 10 à 100 millions de récepteurs.

Même si notre odorat n'est pas aussi développé que celui d'autres animaux, un adulte est tout de même capable de distinguer plus de 10 000 odeurs. Cette sensibilité, qui nous permet de nous défendre contre des dangers éventuels (feu, gaz), nous sert aussi à mieux apprécier les saveurs des aliments que nous ingérons.

glande de Bowman

Produit par les glandes de Bowman, le **mucus** humidifie les minuscules cils qui terminent les cellules olfactives et dissout les molécules odorantes, ce qui facilite les réactions chimiques.

LA CAVITÉ NASALE

La cavité nasale, qui communique avec l'extérieur par les deux narines, constitue la principale porte d'entrée de l'appareil respiratoire. Pendant la respiration, les molécules odorantes contenues dans l'air inspiré activent les récepteurs olfactifs des deux fosses nasales. Séparée de la bouche par le palais, la cavité nasale communique toutefois avec elle par le rhino-pharynx. Les odeurs provenant des aliments parviennent donc jusqu'à l'épithélium olfactif par cette voie.

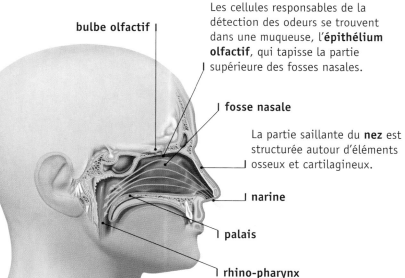

Les cellules responsables de la détection des odeurs se trouvent dans une muqueuse, l'**épithélium olfactif**, qui tapisse la partie supérieure des fosses nasales.

bulbe olfactif

fosse nasale

La partie saillante du **nez** est structurée autour d'éléments osseux et cartilagineux.

narine

palais

rhino-pharynx

Les **cellules de soutien**, qui forment l'essentiel de l'épithélium olfactif, n'ont pas de fonction sensitive.

LES VOIES NERVEUSES DE L'OLFACTION

Des bulbes olfactifs ❶, les influx nerveux gagnent le système limbique du cerveau, où ils entrent en contact avec les zones affectées aux émotions et à la mémoire, comme les corps mamillaires ❷. Cette particularité explique pourquoi une simple odeur peut déclencher instantanément des réactions affectives très fortes, provoquer l'apparition d'un souvenir ou même influer sur le comportement sexuel. Une autre partie du nerf olfactif transite par le thalamus ❸ avant de se projeter sur le cortex orbitofrontal ❹, où s'élabore une représentation consciente de l'odeur perçue.

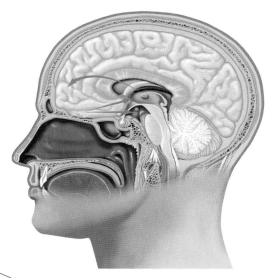

bulbe olfactif

Les **cellules mitrales** relaient l'influx nerveux jusqu'au cerveau.

os ethmoïde

tissu conjonctif

Les **axones** des cellules olfactives se groupent en faisceaux pour traverser l'os ethmoïde.

Les **cellules basales** produisent sans cesse de nouvelles cellules olfactives.

épithélium olfactif

cellule olfactive

Le mécanisme qui convertit un stimulus chimique en une impulsion nerveuse se produit à la surface des **cils olfactifs**.

couche de mucus

molécule odorante

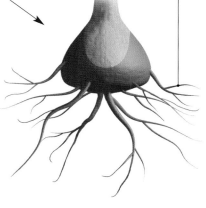

LES RÉCEPTEURS DE L'ODORAT

Les cellules olfactives sont de véritables neurones dont les axones traversent l'os ethmoïde et pénètrent jusqu'au bulbe olfactif, où ils font synapse avec des interneurones appelés cellules mitrales. À leur autre extrémité, elles possèdent une dendrite dotée d'une douzaine de cils sensitifs. Les cellules olfactives ont la particularité unique d'être renouvelées par l'organisme, alors que les autres neurones ne le sont pas. Leur durée de vie est d'environ deux mois.

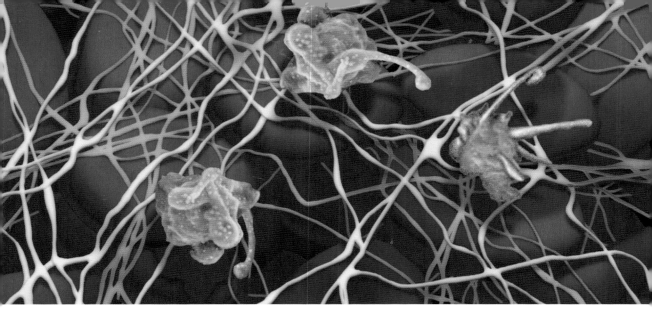

Propulsé par les contractions régulières du muscle cardiaque, le sang joue plusieurs rôles très importants dans l'organisme. En empruntant l'immense réseau des veines, des artères et des capillaires sanguins, il achemine l'oxygène et les éléments nutritifs indispensables aux cellules, et draine certains déchets, comme le gaz carbonique. Il permet aussi aux hormones et aux globules blancs d'atteindre la plupart des parties du corps.

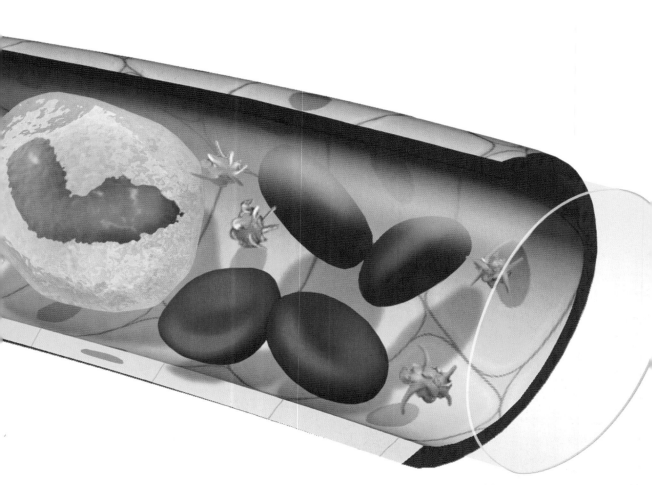

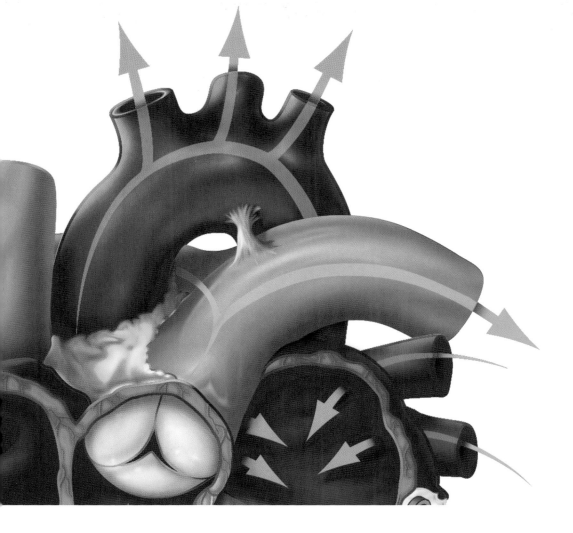

a circulation sanguine

Le sang

Un moyen de transport et de défense

Le sang, qui compose 8 % de notre poids corporel, se déplace en circuit fermé dans notre vaste réseau d'artères et de veines. Il perfuse ainsi tous les tissus du corps, les alimente en oxygène et en substances nutritives, et les débarrasse de leurs déchets. Le sang est aussi le véhicule des globules blancs et des hormones.

LA COMPOSITION DU SANG

Le sang se compose de cellules et de fragments cellulaires flottant dans un liquide aqueux, le plasma. Les cellules sanguines sont de deux types : les globules rouges (érythrocytes) et les globules blancs (leucocytes). Peu nombreux, ces derniers prennent plusieurs formes : neutrophiles, lymphocytes, monocytes, éosinophiles et basophiles. Enfin, les plaquettes ne sont pas de véritables cellules mais des fragments de cellules géantes.

plasma (54 %)

globules blancs et plaquettes (1 %)

globules rouges (45 %)

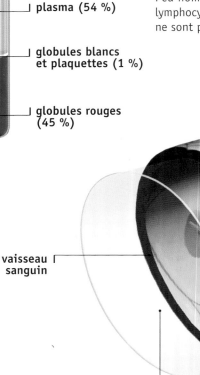

vaisseau sanguin

Les **monocytes** sont les plus gros des globules blancs. Ils utilisent le sang pour atteindre les tissus, où ils se fixent.

Le **plasma** est un fluide jaunâtre, constitué à 90 % d'eau. Il contient aussi des protéines, des vitamines et d'autres solutés.

Les **plaquettes sanguines** (ou thrombocytes) sont des fragments de mégacaryocytes, des cellules géantes de la moelle osseuse. D'une durée de vie très courte (de cinq à dix jours), elles servent à la coagulation du sang et favorisent la cicatrisation.

LA COAGULATION

Lorsqu'un vaisseau sanguin est endommagé, plusieurs mécanismes se conjuguent pour arrêter l'hémorragie. Les plaquettes commencent par se coller les unes sur les autres, ce qui colmate les petits orifices. Le plasma produit ensuite une protéine filamenteuse, la fibrine, qui forme un réseau capable de retenir les globules rouges et de constituer ainsi un caillot sanguin.

fibrine   globule rouge

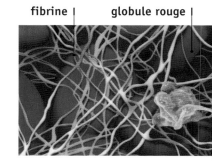

LA FORMATION DES CELLULES DU SANG

Les globules rouges, les plaquettes et les globules blancs comme les neutrophiles proviennent tous d'un même type de cellules, les hémocytoblastes, produites par la moelle osseuse rouge. Les lymphocytes et les monocytes, issus des mêmes cellules, terminent leur différenciation dans les tissus lymphoïdes.

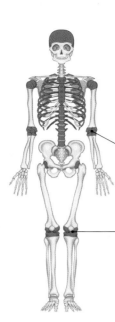

La **moelle osseuse rouge** est située dans les os plats (crâne, sternum) et les épiphyses des os longs.

Cellules souches de la moelle osseuse, les **hémocytoblastes** peuvent se transformer en plusieurs types de cellules sanguines.

plaquette

globule rouge

neutrophile

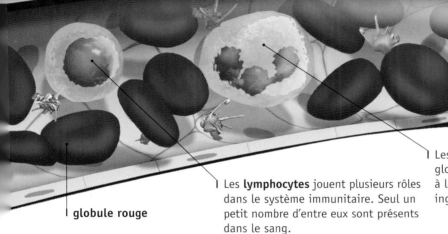

globule rouge

Les **lymphocytes** jouent plusieurs rôles dans le système immunitaire. Seul un petit nombre d'entre eux sont présents dans le sang.

Les **neutrophiles** sont des globules blancs qui participent à la défense immunitaire en ingérant des bactéries.

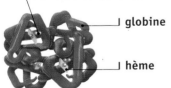

Une molécule d'**oxygène** peut s'unir à l'ion de fer du hème.

globine

hème

molécule d'hémoglobine

LES GLOBULES ROUGES

Notre corps contient en moyenne 25 000 milliards de globules rouges (ou érythrocytes), des cellules sans noyau capables de s'étirer et de se déformer pour passer dans les vaisseaux sanguins les plus étroits. Chaque globule rouge possède environ 250 millions de molécules d'hémoglobine. Cette substance, formée d'une protéine (la globine) et de quatre pigments (les hèmes), joue un rôle primordial dans les échanges gazeux du corps en transportant l'oxygène et le gaz carbonique dans le sang. C'est l'ion de fer contenu par chaque hème qui, en s'oxydant, donne sa couleur rouge au sang oxygéné.

LES GROUPES SANGUINS

Sur leur surface, les globules rouges portent des agglutinogènes, des substances susceptibles d'être combattues par des anticorps. Parmi la centaine d'agglutinogènes recensés, on en distingue deux en particulier qui servent à déterminer différents groupes sanguins. Les groupes A et B rassemblent respectivement les porteurs des agglutinogènes A et B, tandis que le groupe AB désigne les porteurs des deux agglutinogènes. Enfin, le groupe O correspond à ceux qui ne possèdent ni l'un ni l'autre.

Le plasma contient des anticorps réagissant aux agglutinogènes normalement absents de notre sang. En cas de transfusion sanguine, il est donc indispensable de veiller à la compatibilité des sangs du donneur et du receveur, afin d'éviter tout phénomène de rejet.

COMPATIBILITÉ DES GROUPES SANGUINS

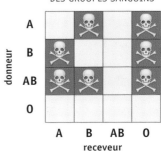

donneur / receveur

Le système cardio-vasculaire

Un double circuit sanguin

Continuellement propulsé par le cœur, le sang parcourt en une minute la totalité des vaisseaux sanguins du corps par l'intermédiaire de deux circuits distincts : les circulations pulmonaire et systémique. L'ensemble des vaisseaux sanguins, du cœur et du sang constitue le système circulatoire, ou cardio-vasculaire.

UN GIGANTESQUE RÉSEAU EN CIRCUIT FERMÉ

Les vaisseaux sanguins du corps humain forment un réseau immense dont la longueur totale atteint environ 150 000 km. Pompé par le cœur, le sang ne cesse jamais de circuler le long des artères (les vaisseaux issus du cœur) et des veines (les vaisseaux qui mènent au cœur). Artères et veines se ramifient en vaisseaux secondaires (artérioles et veinules) qui se rejoignent par de minuscules canaux, les capillaires.

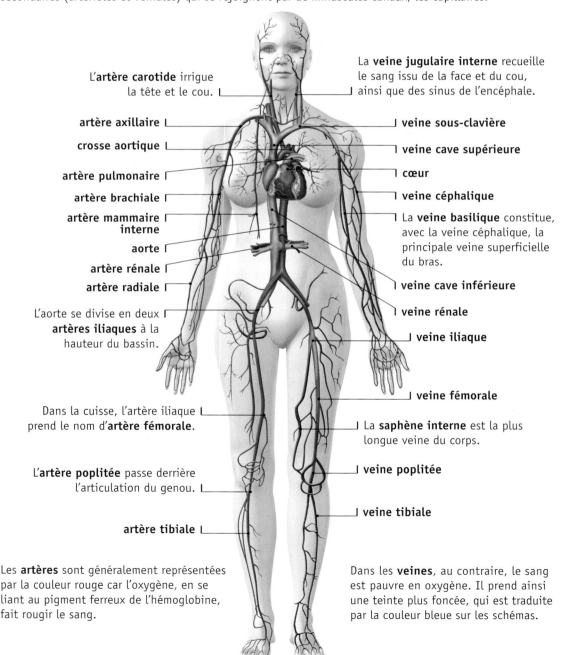

L'**artère carotide** irrigue la tête et le cou.

artère axillaire

crosse aortique

artère pulmonaire

artère brachiale

artère mammaire interne

aorte

artère rénale

artère radiale

L'aorte se divise en deux **artères iliaques** à la hauteur du bassin.

Dans la cuisse, l'artère iliaque prend le nom d'**artère fémorale**.

L'**artère poplitée** passe derrière l'articulation du genou.

artère tibiale

La **veine jugulaire interne** recueille le sang issu de la face et du cou, ainsi que des sinus de l'encéphale.

veine sous-clavière

veine cave supérieure

cœur

veine céphalique

La **veine basilique** constitue, avec la veine céphalique, la principale veine superficielle du bras.

veine cave inférieure

veine rénale

veine iliaque

veine fémorale

La **saphène interne** est la plus longue veine du corps.

veine poplitée

veine tibiale

Les **artères** sont généralement représentées par la couleur rouge car l'oxygène, en se liant au pigment ferreux de l'hémoglobine, fait rougir le sang.

Dans les **veines**, au contraire, le sang est pauvre en oxygène. Il prend ainsi une teinte plus foncée, qui est traduite par la couleur bleue sur les schémas.

LES DEUX CIRCUITS CARDIO-VASCULAIRES

Le système cardio-vasculaire est en fait constitué de deux circuits distincts. La circulation pulmonaire, qui comprend les artères pulmonaires, les capillaires pulmonaires et les veines pulmonaires, est alimentée par le ventricule droit du cœur, qui propulse le sang jusqu'aux poumons. Le sang y est oxygéné et débarrassé du gaz carbonique qu'il contient.

La circulation systémique est composée de tous les autres vaisseaux du corps, y compris l'aorte et les veines caves. Expulsé du ventricule gauche, le sang circule dans tous les tissus corporels, à l'exception des poumons.

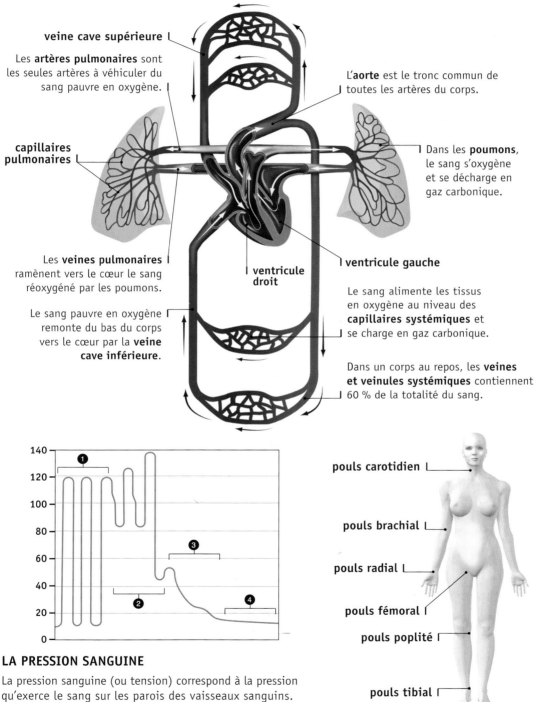

veine cave supérieure

Les **artères pulmonaires** sont les seules artères à véhiculer du sang pauvre en oxygène.

L'**aorte** est le tronc commun de toutes les artères du corps.

capillaires pulmonaires

Dans les **poumons**, le sang s'oxygène et se décharge en gaz carbonique.

Les **veines pulmonaires** ramènent vers le cœur le sang réoxygéné par les poumons.

ventricule droit

ventricule gauche

Le sang alimente les tissus en oxygène au niveau des **capillaires systémiques** et se charge en gaz carbonique.

Le sang pauvre en oxygène remonte du bas du corps vers le cœur par la **veine cave inférieure**.

Dans un corps au repos, les **veines et veinules systémiques** contiennent 60 % de la totalité du sang.

pouls carotidien
pouls brachial
pouls radial
pouls fémoral
pouls poplité
pouls tibial

LA PRESSION SANGUINE

La pression sanguine (ou tension) correspond à la pression qu'exerce le sang sur les parois des vaisseaux sanguins. Elle est mesurée en millimètres de mercure. Irrégulière dans le cœur ❶, très élevée dans les artères ❷, la tension diminue considérablement lorsque le sang parvient aux capillaires ❸, puis s'abaisse encore lorsqu'il pénètre dans le système veineux ❹.

Chaque fois que le sang est expulsé du cœur, il crée une vague, le **pouls**, perceptible dans certaines artères superficielles. Le pouls augmente ou diminue selon l'effort physique.

Les artères et les veines

Une irrigation en circuit fermé

Le sang circule dans la totalité du corps humain, à l'exception de certaines régions très localisées, comme l'émail des dents ou la cornée des yeux. Pour se déplacer, le sang emprunte deux types de vaisseaux sanguins, les artères et les veines, qui se différencient par leur anatomie, mais surtout par leur rôle respectif dans le système cardio-vasculaire.

L'ANATOMIE DES VAISSEAUX SANGUINS

Les parois des vaisseaux sanguins, qui doivent résister à une pression sanguine variable, sont composées de trois couches tissulaires concentriques, nommées «tuniques». La tunique interne (ou intima), qui comprend l'endothélium et une membrane basale, délimite la lumière, c'est-à-dire le canal dans lequel circule le sang. Elle est recouverte par une couche de muscle lisse et de fibres élastiques, qui forme la tunique moyenne (ou média), puis par la tunique externe (ou adventice), principalement constituée de fibres de collagène.

membrane basale

endothélium

valvule

adventice

intima

La **média** des artères contient beaucoup de fibres élastiques.

La large **lumière** des veines leur permet de contenir plus de sang.

L'épaisseur du muscle lisse des **artères** leur permet de se contracter pour maintenir la tension artérielle et ainsi faciliter la circulation du sang provenant du cœur.

Les **veines** possèdent une paroi plus mince et une lumière plus grande que les artères. Dans les membres inférieurs, certaines veines sont dotées de valvules qui empêchent le sang de refluer sous l'action de la gravité.

LES CAPILLAIRES

Formés d'une mince couche de cellules endothéliales recouverte par une membrane basale, les capillaires sont des vaisseaux sanguins de dimensions très réduites : ils ne mesurent que de 0,3 à 1 mm de longueur et leur diamètre ne dépasse pas 0,01 mm. L'extrême minceur de leur paroi favorise les échanges entre le sang et l'extérieur. C'est par cette voie que l'oxygène et les éléments nutritifs sont distribués aux tissus et que le gaz carbonique, résultat du métabolisme cellulaire, est emporté.

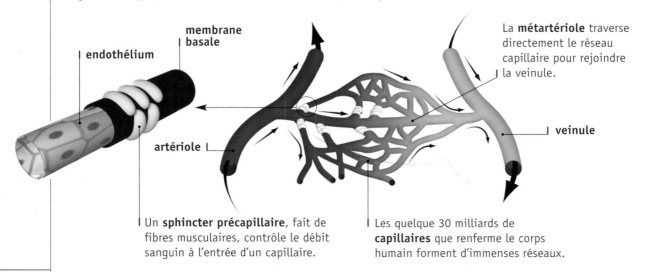

membrane basale

endothélium

La **métartériole** traverse directement le réseau capillaire pour rejoindre la veinule.

veinule

artériole

Un **sphincter précapillaire**, fait de fibres musculaires, contrôle le débit sanguin à l'entrée d'un capillaire.

Les quelque 30 milliards de **capillaires** que renferme le corps humain forment d'immenses réseaux.

LA CIRCULATION CAPILLAIRE

Le flux sanguin dans les réseaux capillaires dépend des besoins en oxygène des tissus. Un muscle au repos nécessite moins de sang qu'un muscle en activité. Ce sont les sphincters précapillaires qui contrôlent le débit sanguin dans les capillaires en se contractant ou en se relâchant.

Lorsque le muscle est au repos ❶, plusieurs sphincters se contractent, coupant l'apport sanguin dans les capillaires.

Le relâchement des sphincters précapillaires permet au sang d'irriguer les réseaux capillaires du muscle en activité ❷.

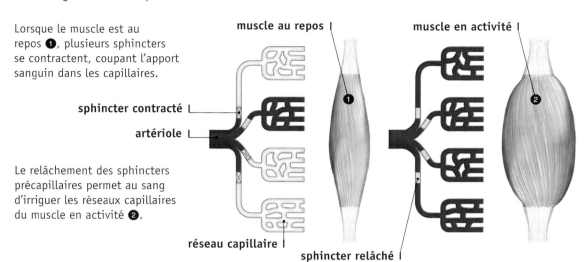

muscle au repos

muscle en activité

sphincter contracté

artériole

réseau capillaire

sphincter relâché

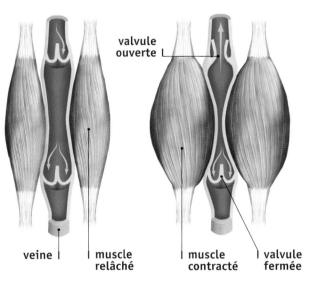

valvule ouverte

veine   muscle relâché   muscle contracté   valvule fermée

LA CIRCULATION DU SANG DANS LES VEINES

En raison de leur plus faible capacité à se contracter, les veines parviennent difficilement à ramener le sang jusqu'au cœur. Cette difficulté se présente particulièrement dans les membres inférieurs, où le flux sanguin s'oppose à la gravité.

Par leurs contractions, les muscles squelettiques qui longent les veines facilitent la circulation sanguine. En effet, lorsqu'ils se contractent, les muscles compriment les parois veineuses et forcent les valvules situées au-dessus d'eux à s'ouvrir pour laisser passer le sang vers le cœur. Les valvules situées en dessous des muscles empêchent le sang de descendre car elles ne peuvent s'ouvrir que dans un seul sens. Ce mécanisme est appelé « pompe veineuse » ou « pompe musculaire ».

LA VITESSE D'ÉCOULEMENT DU SANG

Le sang s'écoule plus lentement dans les capillaires que dans les vaisseaux plus importants. Ce ralentissement rend possibles les échanges entre le sang et les tissus.

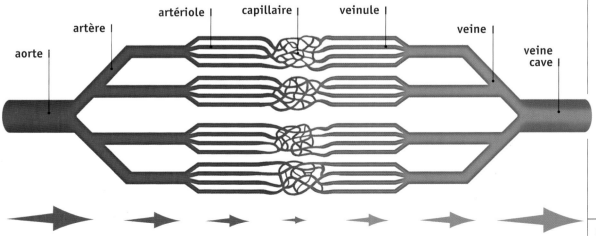

artériole   capillaire   veinule

artère   veine

aorte   veine cave

Le cœur

Une pompe infatigable

Malgré sa petite taille, le cœur est l'organe le plus actif du corps : pendant toute la durée de la vie, les fibres musculaires qui le composent se contractent sans relâche pour propulser le sang dans l'ensemble de l'organisme, à un rythme moyen de 70 contractions par minute. Avec son système complexe de cavités et de valves, le cœur est une formidable machine qui pompe 2,5 millions de litres de sang chaque année.

L'ASPECT EXTÉRIEUR DU CŒUR

Le cœur est un petit organe (10 à 12 cm de diamètre, pour 300 g en moyenne) logé dans la cage thoracique, entre les poumons. Sa surface est divisée par des sillons, le long desquels s'étendent les artères et les veines coronaires, responsables de l'irrigation sanguine du muscle cardiaque. Ces sillons correspondent aux limites entre les oreillettes et les ventricules.

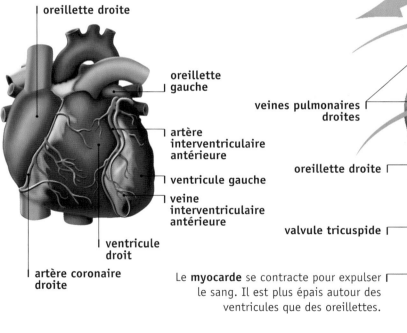

oreillette droite

oreillette gauche

artère interventriculaire antérieure

ventricule gauche

veine interventriculaire antérieure

ventricule droit

artère coronaire droite

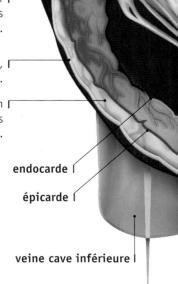

veine cave supérieure

artère pulmonaire droite

veines pulmonaires droites

oreillette droite

valvule tricuspide

Le **myocarde** se contracte pour expulser le sang. Il est plus épais autour des ventricules que des oreillettes.

Une enveloppe fibreuse peu extensible, le **péricarde**, recouvre le cœur et le maintient dans sa position.

Le **liquide péricardique** est un lubrifiant qui atténue les frictions causées par les pulsations cardiaques.

endocarde

épicarde

veine cave inférieure

LE MUSCLE CARDIAQUE

Le cœur est essentiellement composé du myocarde (ou muscle cardiaque), qui forme une paroi épaisse de fibres musculaires striées. L'endocarde, la surface intérieure du myocarde, est tapissé par une fine couche de cellules semblables à celles qui recouvrent les vaisseaux sanguins. Le muscle cardiaque est enveloppé dans l'épicarde, une mince membrane qui constitue le feuillet le plus interne du péricarde.

QUATRE CAVITÉS, QUATRE VALVULES

L'**aorte** est le plus gros vaisseau sanguin du corps humain. Son diamètre varie entre 2,5 et 3 cm.

Le cœur comprend deux parties, séparées par le septum, qui ne communiquent pas directement entre elles. Chaque partie du cœur est constituée de deux cavités : une oreillette et un ventricule. L'**oreillette** est le compartiment qui reçoit le sang des veines (veines caves pour l'oreillette droite, veines pulmonaires pour l'oreillette gauche), tandis que le **ventricule**, de volume plus important, expulse le sang vers les artères (tronc pulmonaire pour le ventricule droit, aorte pour le ventricule gauche).

Ces quatre cavités sont pourvues de valvules destinées à empêcher le reflux du sang lorsque le cœur se contracte. On distingue les **valvules auriculo-ventriculaires** (tricuspide et mitrale), situées entre les oreillettes et les ventricules, et les **valvules semi-lunaires** (pulmonaire et aortique), localisées à la sortie des ventricules.

tronc pulmonaire

artère pulmonaire gauche

veines pulmonaires gauches

oreillette gauche

valvule pulmonaire

Lorsque le ventricule gauche se contracte, **la valvule mitrale** est repoussée par la pression du sang.

La **valvule aortique** se referme après l'expulsion du sang dans l'aorte.

cordages tendineux

ventricule gauche

Par l'intermédiaire des cordages tendineux, les **muscles papillaires** retiennent les valvules tricuspide et mitrale et les empêchent d'être repoussées dans les oreillettes au moment de la contraction des ventricules.

Le **septum intraventriculaire** sépare les deux ventricules.

aorte thoracique   **ventricule droit**

Le cycle cardiaque

Un rythme remarquablement régulier

Les contractions du myocarde obéissent à un cycle régulier qui compte trois phases distinctes. Chaque cycle est déclenché par des cellules particulières du muscle cardiaque, dites autorythmiques parce qu'elles sont capables de générer spontanément des influx électriques et de les propager. Ces stimulateurs cardiaques sont essentiels, car le bon fonctionnement du système cardio-vasculaire dépend de la régularité et de la coordination des mouvements du cœur.

LE CYCLE CARDIAQUE

Il suffit de 0,8 seconde environ pour qu'un flot de 70 ml de sang pénètre dans le cœur, le traverse et soit expulsé dans les artères. Ce cycle comprend une phase de repos (la diastole) et deux phases de contraction (les systoles).

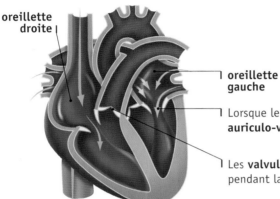

oreillette droite

oreillette gauche

LA DIASTOLE

Phase de repos musculaire, la **diastole** est marquée par une dilatation générale. Le sang provenant des veines pénètre dans les oreillettes puis, les valvules auriculo-ventriculaires étant ouvertes, il s'écoule directement dans les ventricules, qui se remplissent à 70 % de leur capacité.

Lorsque le cœur est au repos, les **valvules auriculo-ventriculaires** restent ouvertes.

Les **valvules semi-lunaires** sont fermées pendant la diastole et la systole auriculaire.

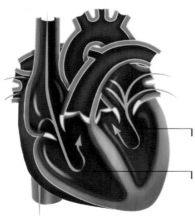

LA SYSTOLE AURICULAIRE

Lorsqu'elles se contractent, les oreillettes expulsent le sang qu'elles contiennent, ce qui finit de remplir les ventricules. Cette première contraction musculaire s'appelle la **systole auriculaire**.

ventricule gauche

ventricule droit

LA SYSTOLE VENTRICULAIRE

La **systole ventriculaire** désigne la contraction des ventricules. Les valvules auriculo-ventriculaires, fermées, empêchent le sang de refluer vers les oreillettes, tandis que les valvules semi-lunaires s'ouvrent pour laisser passer le sang vers le tronc pulmonaire et l'aorte.

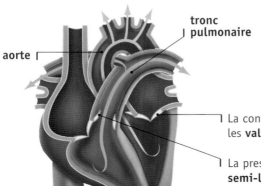

tronc pulmonaire

aorte

La contraction des ventricules repousse les **valvules auriculo-ventriculaires**.

La pression du sang force les **valvules semi-lunaires** à s'ouvrir.

LA CONDUCTION CARDIAQUE

Même si des messages nerveux ou hormonaux peuvent modifier le rythme cardiaque, celui-ci est dicté essentiellement par certaines cellules du myocarde, qui ont la capacité de se dépolariser spontanément et d'émettre des influx électriques 70 à 80 fois par minute. Cette stimulation se propage dans la totalité du myocarde, où elle déclenche successivement la contraction des oreillettes et celle des ventricules.

Situé dans la paroi de l'oreillette droite, le nœud sino-auriculaire ❶ constitue le point de départ de l'excitation cardiaque. Lorsque ses cellules se dépolarisent (tous les 0,8 seconde en moyenne), elles engendrent un potentiel d'action électrique. En se propageant rapidement d'une cellule à l'autre par les tractus internodaux ❷, cet influx provoque la contraction des oreillettes. Parvenu au nœud auriculo-ventriculaire ❸, il emprunte le faisceau de His ❹ (ou faisceau auriculo-ventriculaire), qui constitue la seule voie électrique entre les oreillettes et les ventricules. L'influx descend le long du septum interventriculaire, atteint l'apex du cœur puis se propage rapidement dans la masse musculaire des ventricules par les fibres de Purkinje ❺. Les ventricules se contractent 0,16 seconde environ après les oreillettes.

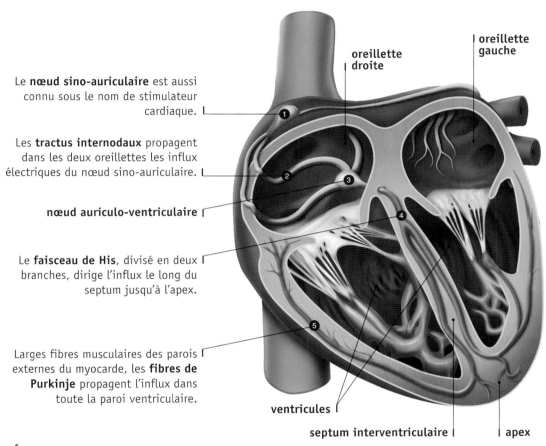

Le **nœud sino-auriculaire** est aussi connu sous le nom de stimulateur cardiaque.

Les **tractus internodaux** propagent dans les deux oreillettes les influx électriques du nœud sino-auriculaire.

nœud auriculo-ventriculaire

Le **faisceau de His**, divisé en deux branches, dirige l'influx le long du septum jusqu'à l'apex.

Larges fibres musculaires des parois externes du myocarde, les **fibres de Purkinje** propagent l'influx dans toute la paroi ventriculaire.

oreillette droite

oreillette gauche

ventricules

septum interventriculaire

apex

L'ÉLECTROCARDIOGRAMME

L'électrocardiographe est un appareil qui mesure, grâce à des capteurs placés sur la peau, l'intensité des courants électriques résultant de la dépolarisation des fibres musculaires du cœur. Le graphique qui en résulte s'appelle un électrocardiogramme. Il fait apparaître des ondes (ondes P, Q, R, S et T) qui correspondent aux différentes phases du cycle cardiaque.

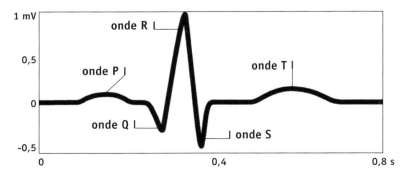

L'**onde P** indique la dépolarisation auriculaire, qui entraîne la contraction des oreillettes. Elle est suivie par la **séquence QRS**, correspondant à la dépolarisation des ventricules. L'**onde T** représente la repolarisation ventriculaire, qui intervient immédiatement après la contraction des ventricules.

Le système lymphatique

Drainage et nettoyage du liquide corporel

Le système lymphatique est intimement lié au système cardio-vasculaire. Chaque jour, du plasma quitte les capillaires sanguins et s'accumule dans les tissus, où il forme le liquide interstitiel. Par son réseau de vaisseaux, le système lymphatique draine ce liquide (qu'on appelle alors la lymphe) et empêche ainsi que les tissus ne gonflent. La lymphe est débarrassée des agents infectieux dans les ganglions lymphatiques puis réintroduite dans le système cardio-vasculaire. D'autres organes, comme la rate, le thymus et les amygdales, jouent un rôle similaire à celui des ganglions sans toutefois être directement liés à la lymphe.

LE DRAINAGE DE LA LYMPHE

Le système lymphatique consiste en un réseau à sens unique qui collecte environ trois litres de lymphe par jour dans les différents tissus du corps. Après avoir été évacuée par les capillaires lymphatiques, la lymphe traverse des ganglions qui la filtrent puis elle est conduite jusqu'à deux canaux principaux : le canal lymphatique droit, qui draine le quart supérieur droit du corps, et le canal thoracique, qui reçoit la lymphe du reste de l'organisme. Ces deux vaisseaux se rejoignent puis débouchent dans la veine sous-clavière, par laquelle ils renvoient la lymphe dans le système cardio-vasculaire.

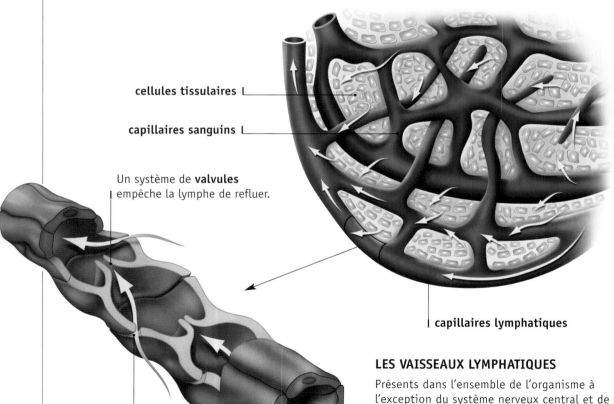

cellules tissulaires

capillaires sanguins

Un système de **valvules** empêche la lymphe de refluer.

capillaires lymphatiques

LES VAISSEAUX LYMPHATIQUES

Présents dans l'ensemble de l'organisme à l'exception du système nerveux central et de la partie superficielle de la peau, les vaisseaux lymphatiques longent les vaisseaux sanguins. Les capillaires lymphatiques sont formés d'une membrane extrêmement mince et perméable, ce qui permet au liquide interstitiel d'y pénétrer par simple pression. Les bactéries qu'il contient sont ainsi évacuées, puis détruites par les globules blancs.

Faiblement liées entre elles, les **cellules endothéliales** des capillaires lymphatiques sont perméables au liquide interstitiel.

Localisées sur le palais, le pharynx et à l'arrière de la langue, les **amygdales** jouent un rôle de défense contre les infections bactériennes de la gorge.

ganglions cervicaux

canal lymphatique droit

Composé de tissu lymphoïde, le **thymus** est le siège de la différenciation de certains lymphocytes.

ganglions axillaires

canal thoracique

LE FILTRE DE LA RATE

Située derrière l'estomac, la rate est formée de deux types de tissus : la pulpe rouge, riche en globules rouges, et la pulpe blanche, qui forme de petites masses de lymphocytes le long des artères. Outre son rôle dans la défense immunitaire, la rate filtre le sang en détruisant les globules rouges usés. Elle constitue aussi un important réservoir de sang.

pulpe rouge

pulpe blanche

ganglions intestinaux

artère splénique

veine splénique

ganglions inguinaux

LES GANGLIONS LYMPHATIQUES

Après avoir été drainée par les vaisseaux lymphatiques, la lymphe passe par les ganglions, des organes spécialisés, riches en globules blancs (lymphocytes et macrophages), qui la filtrent et la nettoient. Très nombreux, ces petits organes de 1 à 25 mm de diamètre sont disposés par grappes le long des vaisseaux, principalement sous les aisselles (ganglions axillaires), dans le cou (ganglions cervicaux), dans les aines (ganglions inguinaux) et dans les intestins (ganglions intestinaux).

capsule

Les **centres germinatifs** renferment des lymphocytes B.

vaisseau lymphatique efférent

vaisseau lymphatique afférent

La capsule se prolonge à l'intérieur du ganglion par des **travées** fibreuses.

L'immunité
Comment le corps se défend contre les infections

Pour se protéger contre les corps étrangers, notre organisme dispose de plusieurs modes de défense complémentaires. L'épiderme, qui fonctionne comme une véritable barrière physique, est secondé par les larmes, le sébum, la salive et les sucs gastriques, qui contiennent des moyens de défense chimiques (acides, enzymes...). Si un agent pathogène parvient à percer ces premières défenses, le corps répond à l'agression par une réaction inflammatoire ou par une réponse immunitaire spécifique. Dans les deux cas, les globules blancs jouent un rôle majeur, utilisant les vaisseaux sanguins et lymphatiques pour se rendre dans la région du corps qui a été infectée et y détruire les corps étrangers et les cellules touchées.

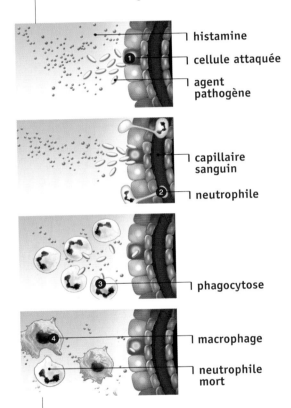

- histamine
- cellule attaquée
- agent pathogène
- capillaire sanguin
- neutrophile
- phagocytose
- macrophage
- neutrophile mort

LA RÉACTION INFLAMMATOIRE

Lorsque des agents pathogènes (bactéries, virus, parasites...) s'introduisent dans l'organisme, la région lésée réagit par un ensemble de mécanismes non spécifiques qu'on appelle la réaction inflammatoire.

Dans un premier temps, les cellules attaquées ❶ libèrent des substances, telles que l'histamine, qui augmentent le diamètre et la perméabilité des vaisseaux sanguins voisins. Ce sont ces transformations qui causent la rougeur, la chaleur et le gonflement caractéristiques d'une inflammation. Les substances libérées ont aussi pour effet d'attirer des globules blancs sur le site de l'infection, selon un mécanisme appelé chimiotactisme. Les neutrophiles ❷ sont les premiers à se manifester : en moins d'une heure, ils traversent les parois des capillaires sanguins et commencent à détruire les agents pathogènes par phagocytose ❸. Ils sont rejoints par des monocytes, qui se transforment en macrophages ❹. Ces grosses cellules poursuivent la destruction des intrus, mais aussi des cellules infectées et des neutrophiles morts.

Lorsque l'infection est grave, les globules blancs morts et les débris de microbes forment un liquide jaunâtre, le pus, qui s'accumule dans la plaie. Si le pus n'est pas éliminé rapidement, il peut se former un abcès, ce qui rend sa dispersion plus difficile.

LA PHAGOCYTOSE

Les neutrophiles, les éosinophiles et les monocytes sont des cellules phagocytaires, c'est-à-dire des globules blancs capables d'englober et de digérer d'autres cellules. Cette phagocytose se déroule en plusieurs étapes. La cellule phagocytaire entre en contact avec un agent pathogène grâce à ses pseudopodes ❶. Le corps étranger est rabattu vers la membrane cellulaire du phagocyte, qui se referme sur lui pour l'englober ❷. Des lysosomes fusionnent avec la vésicule dans laquelle est enfermée la proie ❸, ce qui permet à des enzymes de la détruire ❹. Les résidus peuvent être utilisés par la cellule phagocytaire ou rejetés à l'extérieur.

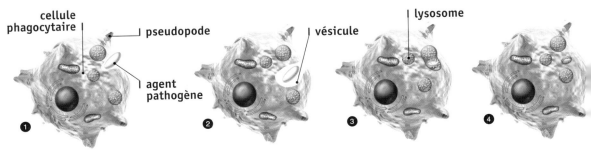

- cellule phagocytaire
- pseudopode
- agent pathogène
- vésicule
- lysosome

LES RÉPONSES IMMUNITAIRES SPÉCIFIQUES

La réaction inflammatoire ne s'adapte pas au type d'agression. Elle est donc parfois insuffisante et doit être complétée par des réponses immunitaires spécifiques : la réponse cellulaire et la réponse humorale.

LA RÉPONSE IMMUNITAIRE CELLULAIRE

Les agents pathogènes ❶ qui pénètrent dans le corps sont attaqués par des macrophages ❷. À l'inverse des neutrophiles, les macrophages ne digèrent pas totalement les cellules qu'ils phagocytent, mais ils les décomposent en fragments de protéines qu'ils incorporent à leur membrane. Tous les lymphocytes T qui possèdent un récepteur spécifique à cet antigène réagissent en s'activant et en se multipliant. Les lymphocytes T auxiliaires ❸ sécrètent des cytokines, des substances qui stimulent la réponse immunitaire. Quant aux lymphocytes T cytotoxiques ❹, ils se déplacent jusqu'au site de l'infection, où ils s'attaquent aux cellules infectées ❺ par l'agent pathogène.

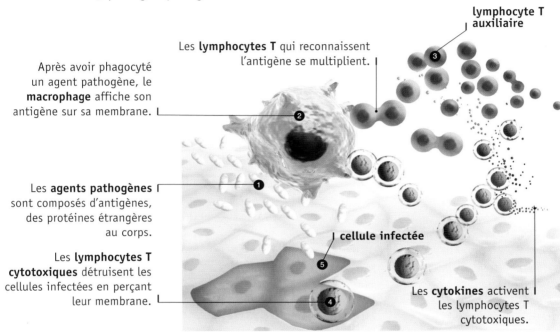

lymphocyte T auxiliaire

Les **lymphocytes T** qui reconnaissent l'antigène se multiplient.

Après avoir phagocyté un agent pathogène, le **macrophage** affiche son antigène sur sa membrane.

Les **agents pathogènes** sont composés d'antigènes, des protéines étrangères au corps.

Les **lymphocytes T cytotoxiques** détruisent les cellules infectées en perçant leur membrane.

cellule infectée

Les **cytokines** activent les lymphocytes T cytotoxiques.

LA RÉPONSE IMMUNITAIRE HUMORALE

Mis en présence d'un antigène, les lymphocytes B se multiplient eux aussi et se différencient en plasmocytes ❶, des cellules capables de sécréter des anticorps. Les anticorps ❷ agissent de plusieurs manières contre les agents pathogènes. Certains provoquent l'agglutination des microbes et leur destruction par les cellules phagocytaires ❸. D'autres se fixent sur l'antigène et attirent le complément ❹, un ensemble de protéines. Les protéines du complément percent la membrane cellulaire de l'agent pathogène et le font éclater ❺.

Au cours de la réaction immunitaire, certains lymphocytes T et B se différencient en cellules mémoire, des cellules à longue durée de vie qui gardent le souvenir de l'antigène qui les a activées. Leur présence dans le corps accélère grandement la réponse immunitaire en cas de nouvelle infection par le même agent pathogène.

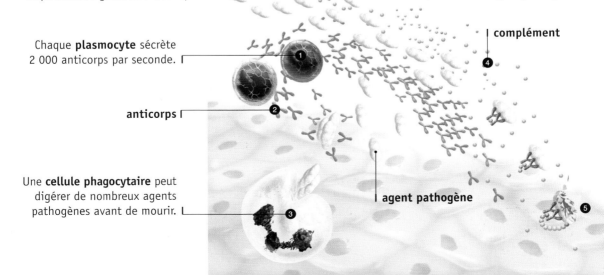

Chaque **plasmocyte** sécrète 2 000 anticorps par seconde.

complément

anticorps

Une **cellule phagocytaire** peut digérer de nombreux agents pathogènes avant de mourir.

agent pathogène

Le système endocrinien

Les hormones, messagers chimiques du corps

Notre corps sécrète et fait circuler quelque 50 hormones différentes. Ces substances chimiques de natures très diverses sont produites par des cellules endocrines, généralement groupées dans des glandes. Elles empruntent ensuite le système sanguin pour atteindre la totalité du corps et pour activer des cellules cibles. Étroitement lié au système nerveux, le système endocrinien contrôle de très nombreuses fonctions de l'organisme : le métabolisme, l'homéostasie, la croissance, l'activité sexuelle ou encore la contraction des muscles lisses et cardiaque.

LES GLANDES ENDOCRINES

Le système endocrinien est constitué d'une dizaine de glandes spécialisées (l'hypophyse, la thyroïde, les quatre parathyroïdes, les deux surrénales et le thymus), auxquelles s'ajoutent plusieurs organes capables de produire des hormones (le pancréas, le cœur, les reins, les ovaires, les testicules, les intestins...). L'hypothalamus, qui n'est pas une glande mais un centre nerveux, joue également un rôle majeur dans la synthèse et la libération de certaines hormones.

Contrairement aux substances produites par les glandes exocrines, qui s'écoulent dans des canaux, les hormones sont directement libérées dans l'espace entourant les cellules sécrétrices. La très forte vascularisation des glandes endocrines permet aux hormones de diffuser dans le système sanguin par l'intermédiaire des capillaires. Certaines d'entre elles circulent librement dans le sang, alors que d'autres doivent se fixer sur des protéines de transport pour atteindre les cellules cibles.

Généralement considérée comme la glande endocrine maîtresse, l'**hypophyse** sécrète une dizaine d'hormones différentes. Certaines de ces substances agissent à leur tour sur d'autres glandes endocrines.

Situées au-dessus de chaque rein, les **glandes surrénales** sont constituées de deux parties distinctes. Le cortex (ou corticosurrénale) sécrète des hormones corticoïdes comme l'aldostérone et le cortisol, ainsi que des hormones sexuelles mâles et femelles (androgènes et œstrogènes). Pour sa part, la médulla (ou médullosurrénale) produit surtout de l'adrénaline et de la noradrénaline, des hormones qui participent à la réponse de l'organisme au stress.

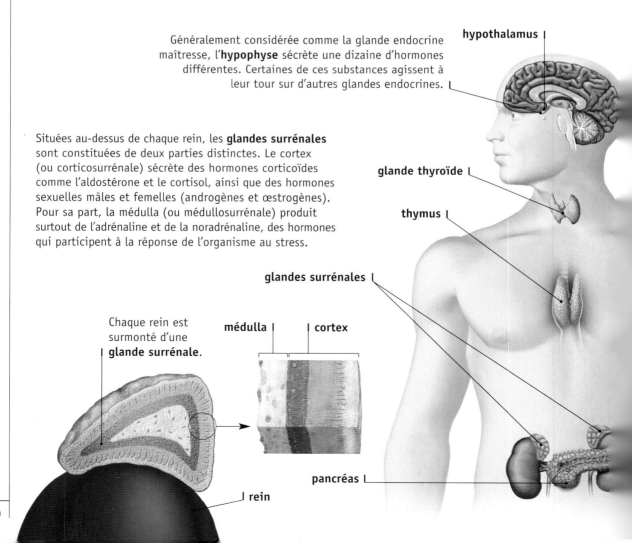

hypothalamus

glande thyroïde

thymus

glandes surrénales

Chaque rein est surmonté d'une **glande surrénale**.

médulla | cortex

pancréas

rein

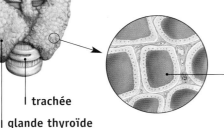

LA GLANDE THYROÏDE

Disposée en deux lobes de part et d'autre du larynx, la glande thyroïde est activée par la thyréostimuline sécrétée par l'hypophyse. Les hormones thyroïdiennes, communément appelées T3 et T4, sont élaborées dans de minuscules poches, les follicules thyroïdiens, à partir de l'iodure du sang. Elles servent notamment à réguler la croissance et le métabolisme.

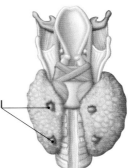

Les hormones thyroïdiennes sont stockées à l'intérieur des **follicules thyroïdiens**.

| trachée

| glande thyroïde

Situées derrière la glande thyroïde, | les **glandes parathyroïdes** produisent de la parathormone, qui contrôle le taux de calcium dans l'organisme.

LE PANCRÉAS

Le pancréas, qui joue un rôle important dans la digestion en produisant des enzymes, participe également au système endocrinien. Des groupes de cellules appelés «îlots de Langerhans» sécrètent quatre hormones différentes, dont les plus importantes sont le glucagon et l'insuline, qui régulent le taux de glycémie dans le corps.

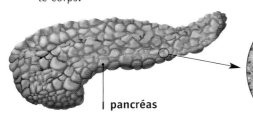

L'**îlot de Langerhans** est le siège de l'activité endocrine du pancréas.

Les **acini** sont des groupes de cellules responsables de la production exocrine d'enzymes pancréatiques.

| pancréas

L'ACTION DES HORMONES

Lorsqu'une hormone diffuse hors d'un capillaire, elle peut agir sur une cellule cible, c'est-à-dire une cellule possédant des récepteurs qui lui correspondent. Il existe deux types d'action hormonale. Une hormone stéroïde ❶ est capable de traverser la membrane cellulaire de la cellule cible. Elle s'unit avec une protéine réceptrice située à l'intérieur du noyau, ce qui stimule ou bloque l'activité génétique de la cellule. Une hormone protéique ❷, au contraire, ne peut pas pénétrer dans la cellule cible. Elle se fixe sur sa membrane et active un récepteur qui libère à son tour un messager à l'intérieur de la cellule.

Chaque cellule cible possède entre 5 000 et 100 000 **récepteurs hormonaux** à sa surface. Leur nombre peut diminuer ou augmenter pour s'adapter à la quantité d'hormones dans le sang. |

Les **hormones** appartiennent à différentes classes de produits chimiques : stéroïdes (testostérone), protéines (insuline), polypeptides (parathormone), dérivés d'acides aminés (adrénaline) et eicosanoïdes (prostaglandine).

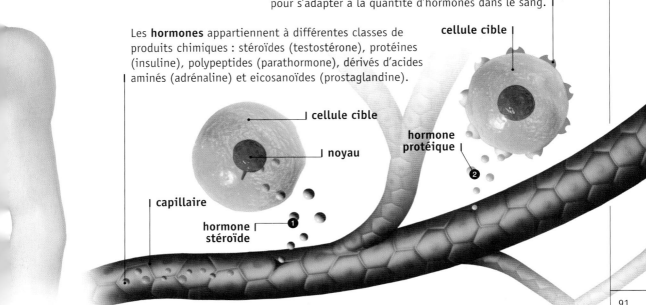

cellule cible |

| cellule cible

| noyau

hormone protéique |

| capillaire

hormone stéroïde |

L'hypothalamus et l'hypophyse
Les centres de contrôle du système endocrinien

Parce qu'elle contrôle l'activité de plusieurs autres glandes, l'hypophyse est souvent considérée comme la glande principale du système endocrinien. Toutefois, elle est elle-même contrôlée par l'hypothalamus, un centre nerveux impliqué dans la régulation de nombreuses fonctions vitales. À eux deux, l'hypothalamus et l'hypophyse produisent le tiers de toutes les hormones du corps et agissent aussi bien sur la lactation et la rétention d'urine que sur la pigmentation de la peau ou la croissance des os.

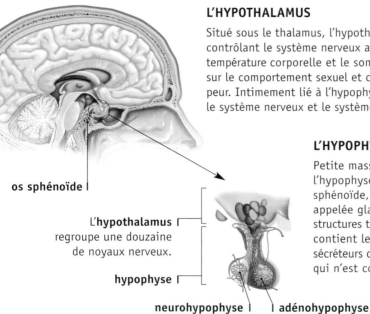

os sphénoïde

L'**hypothalamus** regroupe une douzaine de noyaux nerveux.

hypophyse

neurohypophyse | adénohypophyse

L'HYPOTHALAMUS

Situé sous le thalamus, l'hypothalamus se compose de plusieurs noyaux contrôlant le système nerveux autonome, et régulant la faim, la soif, la température corporelle et le sommeil. L'hypothalamus influe également sur le comportement sexuel et commande les réactions de colère et de peur. Intimement lié à l'hypophyse, il joue un rôle de coordination entre le système nerveux et le système endocrinien.

L'HYPOPHYSE

Petite masse de 1,3 cm de diamètre environ, l'hypophyse est logée dans une cavité de l'os sphénoïde, la selle turcique. Cette glande, aussi appelée glande pituitaire, se compose de deux structures très différentes : la neurohypophyse, qui contient les projections axonales des neurones sécréteurs de l'hypothalamus, et l'adénohypophyse, qui n'est constituée que de cellules endocrines.

L'ACTIVITÉ DE LA GLANDE THYROÏDE, UN EXEMPLE DE RÉTROCONTRÔLE HORMONAL

La production d'hormones thyroïdiennes par la glande thyroïde est régulée par une chaîne de stimulations hormonales. En premier lieu, l'hypothalamus ❶ sécrète de la TRH, qui emprunte le réseau capillaire pour stimuler l'adénohypophyse ❷. Celle-ci réagit en libérant de la thyréostimuline qui active à son tour la glande thyroïde ❸ et provoque ainsi la production des hormones thyroïdiennes.

Ce mécanisme est soumis à un système de rétrocontrôle. Si les récepteurs nerveux détectent les signes d'une trop grande concentration en hormone thyroïdienne dans le corps, l'hypothalamus est inhibé et il réduit sa production de TRH. Moins stimulée, l'hypophyse diminue sa sécrétion de thyréostimuline, ce qui affecte l'activité de la glande thyroïde. C'est ce qu'on appelle la rétroaction négative. À l'inverse, si une hormone est insuffisamment présente dans l'organisme, le rétrocontrôle n'agit plus sur l'hypothalamus, qui libère alors de la TRH.

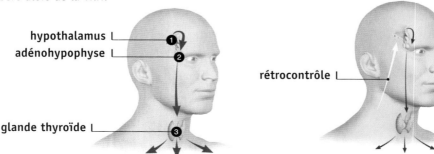

hypothalamus
adénohypophyse

rétrocontrôle

glande thyroïde

LES HORMONES ADÉNOHYPOPHYSAIRES

Contrôlée par l'hypothalamus par l'intermédiaire d'un réseau capillaire, l'adénohypophyse sécrète six hormones différentes : la mélanostimuline, la thyréostimuline, la prolactine, la corticostimuline, l'hormone de croissance, et les gonadostimulines.

noyau nerveux

Les axones des **neurones sécréteurs** de l'hypothalamus acheminent des hormones (vasopressine et ocytocine) dans la neurohypophyse.

La **mélanostimuline** commande la synthèse de la mélanine, le pigment qui colore la peau.

LES HORMONES NEUROHYPOPHYSAIRES

Les cellules sécrétrices de l'hypothalamus élaborent deux hormones, la vasopressine et l'ocytocine, qui sont libérées dans le système sanguin par la neurohypophyse.

La **thyréostimuline** commande la sécrétion d'hormones par la glande thyroïde.

La **prolactine** déclenche et contrôle la sécrétion de lait par les glandes mammaires.

neurohypophyse   **adénohypophyse**

La **vasopressine**, ou hormone antidiurétique, commande aux reins de réduire la quantité d'urine excrétée, provoque la constriction des artérioles et diminue la transpiration.

L'activité des corticosurrénales (notamment la production de cortisol, qui régule le stockage du glucose) est stimulée par la **corticostimuline**.

L'**hormone de croissance** est la principale hormone hypophysaire. Cette protéine stimule la croissance corporelle générale et agit sur le métabolisme.

L'**ocytocine** provoque les contractions utérines pendant l'accouchement, puis elle déclenche l'éjection du lait par les seins en réaction à un stimulus de succion des mamelons.

L'hormone folliculostimulante et l'hormone lutéinisante sont des **gonadostimulines**. Elles agissent sur les ovaires et les testicules, notamment en déclenchant la production d'ovules et de spermatozoïdes, et la sécrétion d'œstrogène et de testostérone.

Le système urinaire

Comment les reins filtrent le sang

L'eau, qui forme 60 % du poids de notre corps, circule principalement par le sang en transportant des éléments nutritifs et des déchets. Le système urinaire permet de contrôler le volume d'eau du corps et d'en éliminer certaines substances par l'urine. Les reins fonctionnent comme de véritables filtres, capables d'extraire les déchets du sang sans le priver des éléments nutritifs. L'urine sécrétée est stockée dans la vessie puis évacuée par l'urètre. Pour compenser cette perte de liquide, un adulte doit ingérer deux litres d'eau par jour.

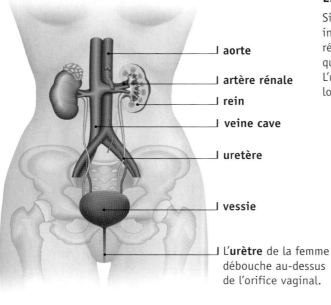

- aorte
- artère rénale
- rein
- veine cave
- uretère
- vessie
- L'**urètre** de la femme débouche au-dessus de l'orifice vaginal.

LES ORGANES DU SYSTÈME URINAIRE

Situés de part et d'autre de l'aorte et de la veine cave inférieure, les reins sont alimentés par les artères rénales. Ils filtrent le sang et produisent de l'urine, qui est transportée vers la vessie par les deux uretères. L'urètre, qui évacue l'urine hors de la vessie, est plus long chez l'homme que chez la femme.

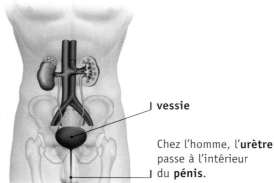

- vessie
- Chez l'homme, l'**urètre** passe à l'intérieur du **pénis**.

LA VESSIE

Avant d'être éliminée, l'urine est provisoirement stockée dans la vessie. Cette poche, faite de tissus musculaires, présente une forme sphérique lorsqu'elle est pleine, mais elle s'aplatit en se vidant. La vessie peut contenir jusqu'à 500 ml en moyenne, mais le réflexe de miction (évacuation de l'urine) apparaît dès que la quantité d'urine atteint 200 à 400 ml. Le muscle vésical se contracte, tandis que le sphincter interne se relâche, ce qui entraîne l'évacuation de l'urine par l'urètre. Toutefois, un sphincter externe, contrôlé volontairement, permet de bloquer la miction.

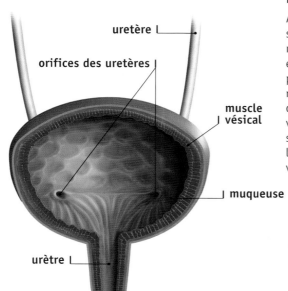

- uretère
- orifices des uretères
- muscle vésical
- muqueuse
- urètre

vessie vide

vessie pleine

LES REINS

Protégés par une capsule fibreuse entourée de tissus adipeux, les reins sont de petits organes de 11 cm de longueur en moyenne, dont la forme rappelle celle des haricots. Ils sont constitués d'une couche externe, le cortex, et d'une région interne, la médulla, dans laquelle apparaissent des structures coniques appelées « pyramides ». Les pyramides sont formées de nombreux tubules rénaux qui convergent pour former des tubules collecteurs, qui se vident dans les petits et les grands calices. Les calices reçoivent l'urine produite par les néphrons (des unités fonctionnelles situées à la fois dans le cortex et la médulla) et l'évacuent par le bassinet, une cavité qui débouche sur l'uretère.

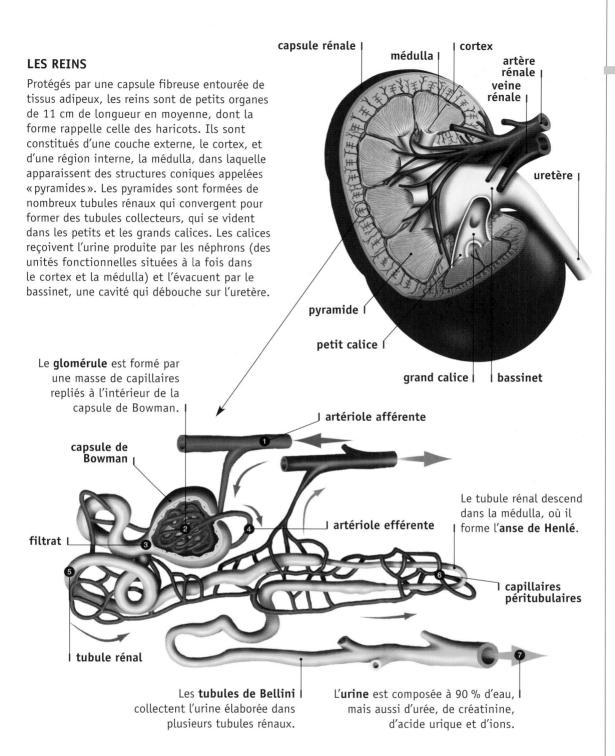

capsule rénale | médulla | cortex | artère rénale | veine rénale | uretère | pyramide | petit calice | grand calice | bassinet

Le **glomérule** est formé par une masse de capillaires repliés à l'intérieur de la capsule de Bowman.

capsule de Bowman

artériole afférente

filtrat

artériole efférente

Le tubule rénal descend dans la médulla, où il forme l'**anse de Henlé**.

capillaires péritubulaires

tubule rénal

Les **tubules de Bellini** collectent l'urine élaborée dans plusieurs tubules rénaux.

L'**urine** est composée à 90 % d'eau, mais aussi d'urée, de créatinine, d'acide urique et d'ions.

LES NÉPHRONS : DU SANG À L'URINE

Chaque rein comprend environ un million de néphrons, des unités de filtration du sang et de sécrétion de l'urine. Le sang y pénètre par une artériole afférente ❶ qui se subdivise en nombreux capillaires pour former un glomérule ❷, une petite sphère enveloppée dans une capsule de Bowman. Certaines substances composant le sang (eau, sels minéraux, glucose) traversent la paroi des capillaires et forment un liquide appelé filtrat ❸. Les capillaires se rassemblent à nouveau en une artériole efférente ❹ qui sort du glomérule. Pour sa part, le filtrat emprunte un tubule rénal ❺ qui serpente dans le cortex et la médulla en échangeant des substances avec les capillaires péritubulaires ❻. Ces échanges permettent au sang de réabsorber certains produits utiles. On estime que sur 180 litres de filtrat produits chaque jour, environ 179 litres sont réabsorbés. Ce qui reste de filtrat forme l'urine ❼, qui est drainée vers les calices par les tubules de Bellini.

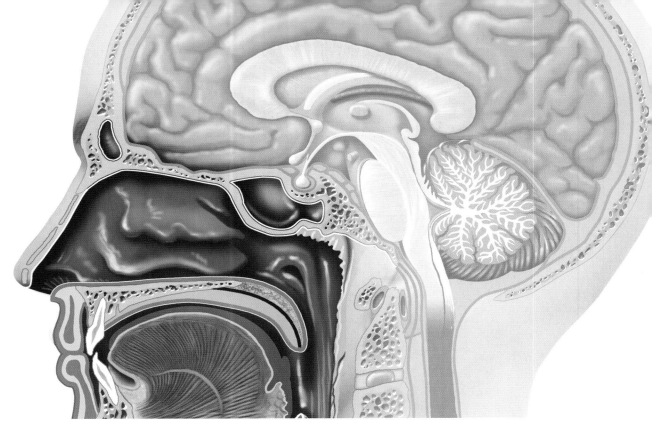

Comme tout autre organisme vivant, le corps humain a besoin de certains produits pour survivre et se développer. Deux grands systèmes lui fournissent les éléments nécessaires à son métabolisme : le système respiratoire et le système digestif. La respiration met l'oxygène contenu dans l'air en contact avec le sang, tandis que la digestion permet l'assimilation des substances nutritives.

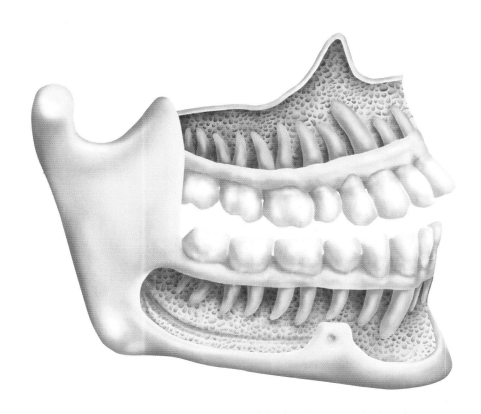

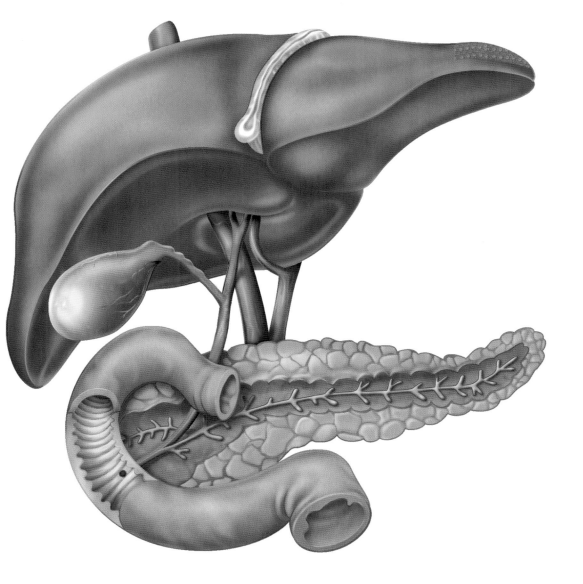

Respiration et nutrition

Le système respiratoire

L'oxygénation du corps

Parce que les cellules de notre corps ne peuvent pas être privées d'oxygène, nous devons constamment oxygéner notre organisme par la respiration. Cette action généralement involontaire, régie par des neurones spécialisés du tronc cérébral, consiste à amener l'air extérieur au plus profond des poumons, grâce au réseau arborescent des voies respiratoires inférieures. Ces innombrables ramifications constituent l'essentiel de la masse des poumons, les organes principaux de la respiration.

LES ORGANES DE LA RESPIRATION

Le système respiratoire est constitué d'une série de passages destinés à mener l'air extérieur jusqu'aux alvéoles des poumons, où s'effectuent les échanges gazeux. On distingue les voies supérieures de la respiration, comprenant les fosses nasales et le pharynx, et les voies inférieures (le larynx, la trachée, les bronches et les poumons).

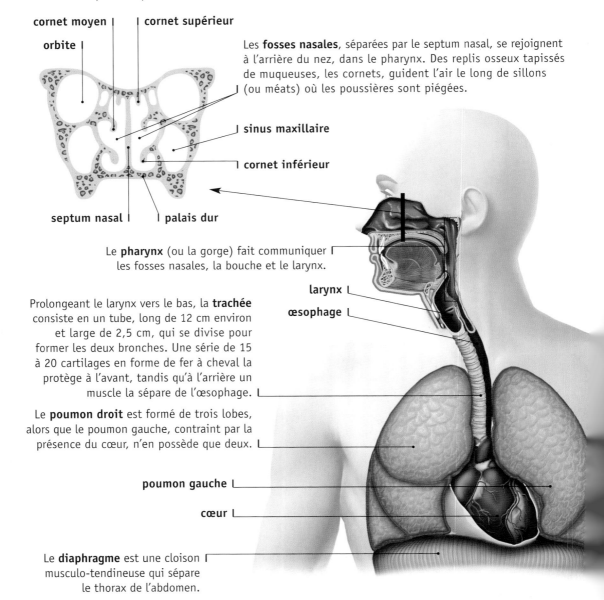

cornet moyen | cornet supérieur

orbite

Les **fosses nasales**, séparées par le septum nasal, se rejoignent à l'arrière du nez, dans le pharynx. Des replis osseux tapissés de muqueuses, les cornets, guident l'air le long de sillons (ou méats) où les poussières sont piégées.

sinus maxillaire

cornet inférieur

septum nasal | palais dur

Le **pharynx** (ou la gorge) fait communiquer les fosses nasales, la bouche et le larynx.

larynx

œsophage

Prolongeant le larynx vers le bas, la **trachée** consiste en un tube, long de 12 cm environ et large de 2,5 cm, qui se divise pour former les deux bronches. Une série de 15 à 20 cartilages en forme de fer à cheval la protège à l'avant, tandis qu'à l'arrière un muscle la sépare de l'œsophage.

Le **poumon droit** est formé de trois lobes, alors que le poumon gauche, contraint par la présence du cœur, n'en possède que deux.

poumon gauche

cœur

Le **diaphragme** est une cloison musculo-tendineuse qui sépare le thorax de l'abdomen.

LES POUMONS

La trachée se divise en deux bronches principales qui mènent aux deux poumons. Ces canaux se subdivisent à leur tour en bronches secondaires, correspondant aux lobes, puis en bronches tertiaires, qui se ramifient en bronchioles de plus en plus étroites et de plus en plus nombreuses. Cette structure arborescente constitue l'arbre bronchique.

L'intérieur de la **trachée**, tout comme le reste de l'arbre bronchique, est recouvert d'une muqueuse ciliée qui dirige les impuretés vers l'extérieur. À la hauteur de l'éperon, la trachée se divise en bronches primaires gauche et droite.

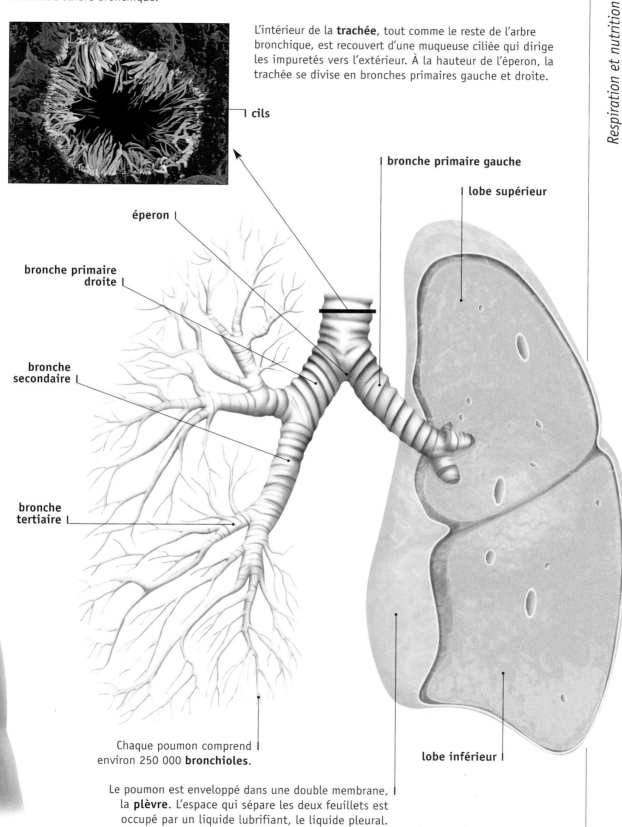

cils

bronche primaire gauche

lobe supérieur

éperon

bronche primaire droite

bronche secondaire

bronche tertiaire

Chaque poumon comprend environ 250 000 **bronchioles**.

Le poumon est enveloppé dans une double membrane, la **plèvre**. L'espace qui sépare les deux feuillets est occupé par un liquide lubrifiant, le liquide pleural.

lobe inférieur

La respiration

Échanges entre l'air et le sang

Les contractions du diaphragme et des muscles intercostaux commandent l'inspiration, qui amène l'air au plus profond des poumons. Aucun travail musculaire n'est en revanche nécessaire pour l'expiration, qui expulse le gaz carbonique produit par les cellules. Aux extrémités de l'arbre bronchique figurent de minuscules cavités, les alvéoles pulmonaires, en contact étroit avec les capillaires sanguins. Les alvéoles sont si nombreuses que leur superficie totale atteint plus de 100 m². C'est le long de cette surface que s'effectuent les échanges gazeux entre l'air et le sang.

INSPIRATION ET EXPIRATION

C'est la coordination du diaphragme et des muscles intercostaux qui permet aux poumons de se gonfler. Pendant la phase d'inspiration, le diaphragme ❶ et les intercostaux ❷ se contractent. Cette contraction élargit la cage thoracique et le volume des poumons ❸ s'accroît. La variation de pression suffit à aspirer l'air extérieur par la trachée ❹. Au contraire, l'expiration est un phénomène essentiellement passif, dû à l'élasticité de la cage thoracique, qui se produit pendant le relâchement du diaphragme et des muscles intercostaux.

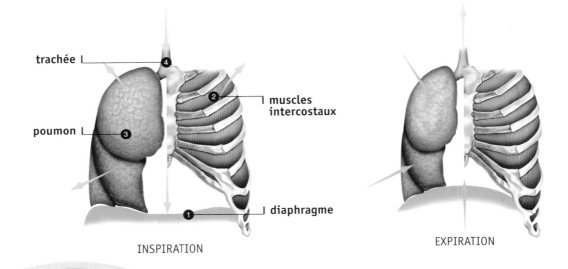

trachée

muscles intercostaux

poumon

diaphragme

INSPIRATION

EXPIRATION

Les **sinus** sont des cavités osseuses de la face qui servent à réchauffer l'air inspiré et qui participent à la résonance vocale.

fosses nasales

narine

LE RÔLE DU NEZ DANS LA RESPIRATION

L'air inspiré pénètre dans l'organisme par les narines et traverse les fosses nasales pour gagner le pharynx. Pendant ce trajet, il est filtré par les poils du nez, qui retiennent les poussières les plus grossières. Le mucus qui tapisse les fosses nasales retient lui aussi les particules indésirables et contribue à humidifier l'air. Enfin, de minuscules vaisseaux sanguins se chargent de réchauffer l'air froid avant qu'il ne pénètre dans les poumons.

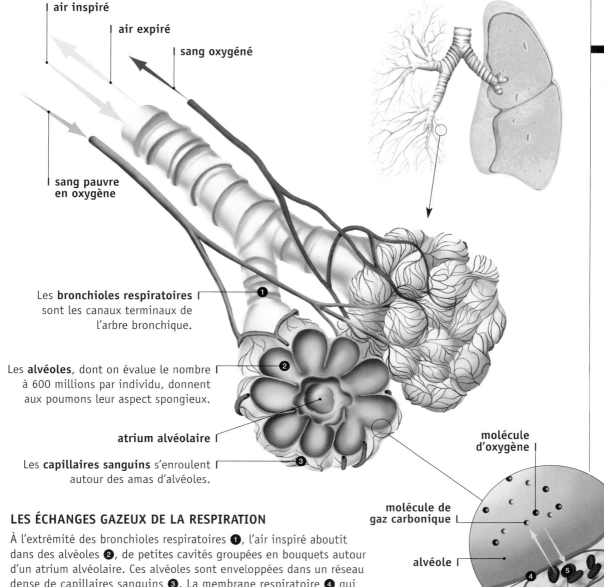

air inspiré

air expiré

sang oxygéné

sang pauvre
en oxygène

Les **bronchioles respiratoires**
sont les canaux terminaux de
l'arbre bronchique. ❶

Les **alvéoles**, dont on évalue le nombre
à 600 millions par individu, donnent
aux poumons leur aspect spongieux. ❷

atrium alvéolaire ❷

Les **capillaires sanguins** s'enroulent
autour des amas d'alvéoles. ❸

LES ÉCHANGES GAZEUX DE LA RESPIRATION

À l'extrémité des bronchioles respiratoires ❶, l'air inspiré aboutit
dans des alvéoles ❷, de petites cavités groupées en bouquets autour
d'un atrium alvéolaire. Ces alvéoles sont enveloppées dans un réseau
dense de capillaires sanguins ❸. La membrane respiratoire ❹ qui
sépare une alvéole des capillaires qui l'entourent est extrêmement
mince et perméable, ce qui favorise l'échange des gaz entre le sang
et l'air. Pendant l'inspiration, les molécules d'oxygène passent de l'air
au sang, tandis que les molécules de gaz carbonique transportées par
les globules rouges ❺ franchissent la membrane dans le sens inverse
pour être évacuées pendant l'expiration.

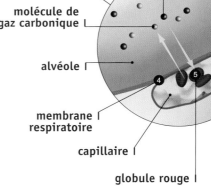

**molécule
d'oxygène**

**molécule de
gaz carbonique**

alvéole

**membrane
respiratoire**

capillaire

globule rouge

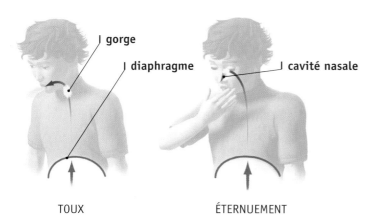

gorge

diaphragme

cavité nasale

TOUX

ÉTERNUEMENT

LA TOUX ET L'ÉTERNUEMENT

Lorsque des particules obstruent
les voies aériennes, des mouvements
respiratoires spéciaux se déclenchent
spontanément pour les expulser. La
toux permet de dégager les bronches,
la trachée ou la gorge, tandis que
l'éternuement produit un puissant
courant d'air dans la cavité nasale.
On estime que l'air est alors chassé
à une vitesse de 150 km/h !

La parole

Vibration, résonance et articulation

Pour s'exprimer, les êtres humains sont capables de produire de très nombreux phonèmes (éléments phonétiques du langage) et d'en faire des mots. Cette aptitude fait appel à l'interaction complexe de plusieurs parties du corps : le cerveau, les poumons, le larynx, le pharynx ainsi que plusieurs articulateurs mobiles (la langue, les lèvres, la mâchoire, le voile du palais). Le son est d'abord formé par les poumons et le larynx, avant d'être modifié par les voies aériennes supérieures.

LE PROCESSUS DE LA PAROLE

Lorsque les cordes vocales sont proches, la pression exercée par l'air expiré les fait vibrer, ce qui produit un ton. Cette étape est appelée **phonation**. La forme et la taille des cavités du pharynx, du nez et de la bouche, déterminées par la position des articulateurs mobiles, amplifie certaines fréquences du ton. Ce processus de **résonance** résulte en un son complexe, correspondant à un phonème unique.

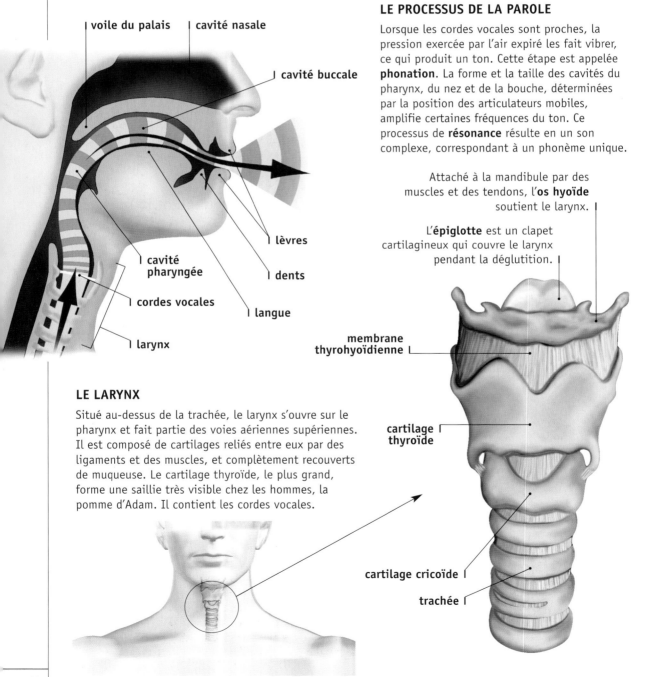

voile du palais | cavité nasale

cavité buccale

lèvres

cavité pharyngée

dents

cordes vocales

langue

larynx

Attaché à la mandibule par des muscles et des tendons, l'**os hyoïde** soutient le larynx.

L'**épiglotte** est un clapet cartilagineux qui couvre le larynx pendant la déglutition.

membrane thyrohyoïdienne

cartilage thyroïde

cartilage cricoïde

trachée

LE LARYNX

Situé au-dessus de la trachée, le larynx s'ouvre sur le pharynx et fait partie des voies aériennes supérieennes. Il est composé de cartilages reliés entre eux par des ligaments et des muscles, et complètement recouverts de muqueuse. Le cartilage thyroïde, le plus grand, forme une saillie très visible chez les hommes, la pomme d'Adam. Il contient les cordes vocales.

épiglotte

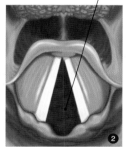

cordes vocales

LES CORDES VOCALES

Les cordes vocales sont de longues bandes de tissu musculaire qui peuvent s'allonger, se tendre ou s'écarter l'une de l'autre. Elles sont fixées au cartilage thyroïde à l'avant et aux cartilages aryténoïdes à l'arrière. La contraction de plusieurs muscles intrinsèques, également attachés aux cartilages aryténoïdes, permet aux cordes vocales de s'ouvrir largement pendant la respiration, ou au contraire de se refermer et de se tendre durant la phonation. Pour qu'un son soit produit au passage de l'air expiré, les cordes vocales doivent être plus ou moins fermées : plus l'espace est étroit, plus le son est aigu.

cartilage thyroïde

cartilages aryténoïdes

Les **cordes vocales** des hommes sont plus longues que celles des femmes, ce qui leur donne une voix plus grave.

Les muscles **crico-aryténoïdiens** postérieurs ouvrent la glotte.

Les muscles **crico-aryténoïdiens** latéraux ferment la glotte.

La **glotte** désigne l'espace entre les cordes vocales.

Les muscles **crico-thyroïdiens** tendent les cordes vocales.

épiglotte

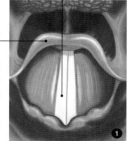

La phonation ❶ nécessite la fermeture (partielle ou totale) de la glotte. La tension des muscles intrinsèques, ainsi que la pression exercée par les poumons, détermine la tonalité du son. En revanche, aucun son n'est produit lorsque la glotte est largement ouverte ❷. Le larynx ne sert alors qu'à la respiration.

L'ARTICULATION DES CONSONNES ET DES VOYELLES

Un grand nombre de muscles doivent agir simultanément afin de positionner la langue, les lèvres, le voile du palais et la mâchoire de telle sorte qu'un son (consonne ou voyelle) soit articulé.

Les consonnes résultent essentiellement de la présence d'obstacles (langue, lèvres, dents, palais) sur le passage d'un courant d'air. Les consonnes occlusives (p, t, k) sont produites par le blocage complet de l'air puis par son relâchement brusque, tandis que les consonnes fricatives (f, s, ch) impliquent une obstruction incomplète du chenal expiratoire. Dans les deux catégories, certains sons nécessitent en outre la vibration des cordes vocales : ce sont les consonnes dites sonores (g, b, d, v, z, j).

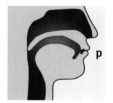  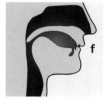 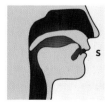 

résonateur nasal

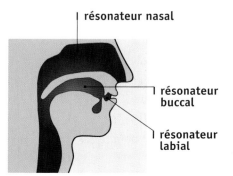

résonateur buccal

résonateur labial

L'articulation des **voyelles** implique l'absence d'obstacles majeurs sur le passage du son formé dans le larynx. C'est donc la résonance qui différencie ces sons. Le résonateur buccal, dont la forme et le volume varient selon la position de la langue et l'ouverture de la mâchoire, participe à l'articulation de toutes les voyelles. Le résonateur labial, compris entre les dents et les lèvres, intervient pour l'articulation des voyelles arrondies (o, u). Quant au résonateur nasal, il participe à l'articulation des voyelles nasales, lorsque le voile du palais se déplace pour y laisser passer une partie de l'air.

Le système digestif

Comment les aliments sont transformés et absorbés

L'énergie indispensable au fonctionnement de notre corps nous est fournie par l'alimentation. Une dizaine d'organes, composant le système digestif, s'allient pour décomposer la nourriture, absorber les éléments nutritifs et rejeter les déchets. La série de conduits et de poches par lesquels les aliments cheminent avant d'être évacués sous forme de matières fécales constitue le tube digestif, un canal long de neuf mètres. On distingue successivement la bouche, le pharynx, l'œsophage, l'estomac, l'intestin grêle, le gros intestin et l'anus.

Des organes annexes participent à la digestion sans pour autant appartenir au tube digestif. Les dents et la langue facilitent la transformation des aliments en bol alimentaire. Les glandes salivaires, le foie, le pancréas et la vésicule biliaire produisent ou emmagasinent des substances digestives (notamment des enzymes) et les libèrent dans le tube digestif.

LE PARCOURS DES ALIMENTS

La nourriture que nous ingérons commence à être transformée dans la bouche, où elle est broyée par les dents, compactée par la langue et humectée par la salive. L'amylase, une enzyme digestive contenue dans la salive, amorce la transformation des sucres. En moins d'une minute, la bouchée est devenue un « bol alimentaire » ❶, c'est-à-dire une boulette molle et humide.

La déglutition exige une coordination parfaite des différents muscles de la bouche et du pharynx. Le bol alimentaire est dirigé vers l'arrière de la cavité buccale par la langue et pénètre dans le pharynx. La langue se soulève contre le voile du palais, ce qui obstrue la cavité nasale et empêche le bol d'y refluer. Le bol alimentaire glisse dans le pharynx ❷ et pousse l'épiglotte vers le bas, fermant du même coup l'entrée de la trachée. Sous l'action combinée du pharynx et de la langue, le bol alimentaire descend dans l'œsophage.

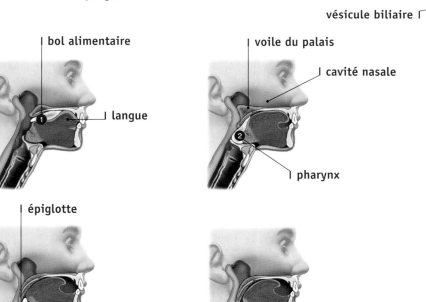

vésicule biliaire ⌐

bol alimentaire

❶ │ langue

voile du palais

│ cavité nasale

❷

│ pharynx

épiglotte

│ trachée

│ œsophage

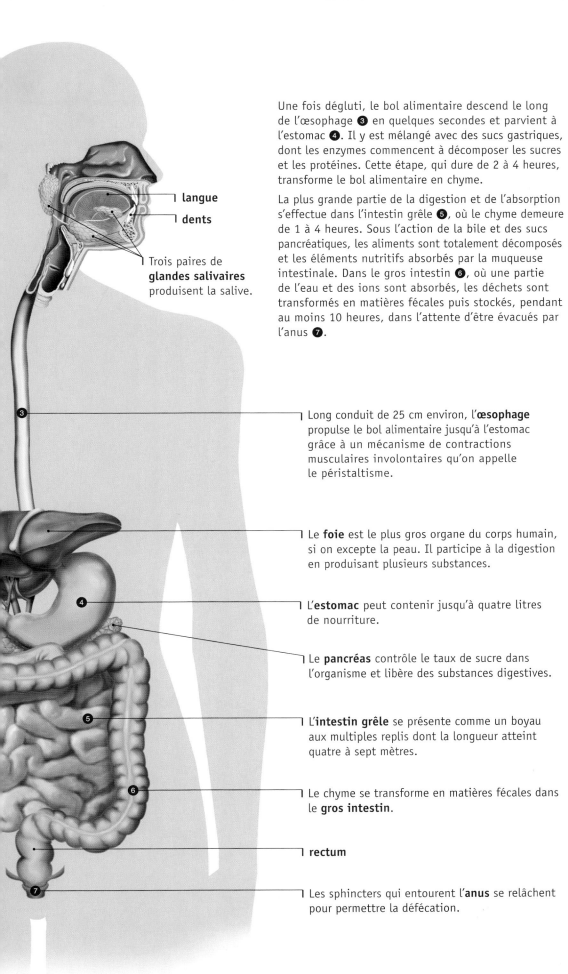

langue

dents

Trois paires de
glandes salivaires
produisent la salive.

Une fois dégluti, le bol alimentaire descend le long
de l'œsophage ❸ en quelques secondes et parvient à
l'estomac ❹. Il y est mélangé avec des sucs gastriques,
dont les enzymes commencent à décomposer les sucres
et les protéines. Cette étape, qui dure de 2 à 4 heures,
transforme le bol alimentaire en chyme.

La plus grande partie de la digestion et de l'absorption
s'effectue dans l'intestin grêle ❺, où le chyme demeure
de 1 à 4 heures. Sous l'action de la bile et des sucs
pancréatiques, les aliments sont totalement décomposés
et les éléments nutritifs absorbés par la muqueuse
intestinale. Dans le gros intestin ❻, où une partie
de l'eau et des ions sont absorbés, les déchets sont
transformés en matières fécales puis stockés, pendant
au moins 10 heures, dans l'attente d'être évacués par
l'anus ❼.

Long conduit de 25 cm environ, l'**œsophage**
propulse le bol alimentaire jusqu'à l'estomac
grâce à un mécanisme de contractions
musculaires involontaires qu'on appelle
le péristaltisme.

Le **foie** est le plus gros organe du corps humain,
si on excepte la peau. Il participe à la digestion
en produisant plusieurs substances.

L'**estomac** peut contenir jusqu'à quatre litres
de nourriture.

Le **pancréas** contrôle le taux de sucre dans
l'organisme et libère des substances digestives.

L'**intestin grêle** se présente comme un boyau
aux multiples replis dont la longueur atteint
quatre à sept mètres.

Le chyme se transforme en matières fécales dans
le **gros intestin**.

rectum

Les sphincters qui entourent l'**anus** se relâchent
pour permettre la défécation.

Les dents

La première étape de la digestion

Avant d'être décomposés par les sucs gastriques et intestinaux, les aliments subissent une première transformation dans la bouche. Les dents, au nombre de 20 chez l'enfant et de 32 chez l'adulte, jouent un rôle crucial puisqu'elles permettent de préparer le bol alimentaire avant sa déglutition. La mastication constitue donc la première étape de la digestion.

LES TYPES DE DENTS

Qu'elles s'insèrent sur l'un ou l'autre des os maxillaires, les 32 dents de la denture humaine adulte se répartissent en quatre types : les incisives, les canines, les prémolaires et les molaires. Cette distinction reflète les différentes caractéristiques anatomiques des dents mais aussi les différents rôles qu'elles jouent dans la mastication.

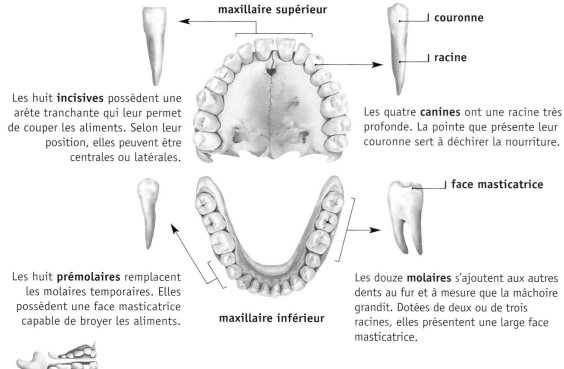

maxillaire supérieur

couronne

racine

Les huit **incisives** possèdent une arête tranchante qui leur permet de couper les aliments. Selon leur position, elles peuvent être centrales ou latérales.

Les quatre **canines** ont une racine très profonde. La pointe que présente leur couronne sert à déchirer la nourriture.

face masticatrice

Les huit **prémolaires** remplacent les molaires temporaires. Elles possèdent une face masticatrice capable de broyer les aliments.

maxillaire inférieur

Les douze **molaires** s'ajoutent aux autres dents au fur et à mesure que la mâchoire grandit. Dotées de deux ou de trois racines, elles présentent une large face masticatrice.

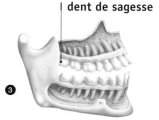

❶

molaire permanente

incisive temporaire

❷

dent de sagesse

❸

LE DÉVELOPPEMENT DE LA DENTURE

La formation des dents, qui commence alors que le fœtus n'a encore que quelques semaines, se poursuit jusqu'à l'âge adulte. À la naissance ❶, les dents ne sont pas encore visibles, mais les os maxillaires contiennent des bourgeons dentaires qui perceront la gencive à partir des six premiers mois de vie.

À l'âge de cinq ans ❷, l'enfant possède vingt dents temporaires (ou dents de lait) : huit incisives, quatre canines et huit molaires. Les dents permanentes se développent déjà dans les maxillaires, poussant et résorbant les racines des dents temporaires. Le remplacement des dents de lait par les dents permanentes s'échelonne sur plusieurs années, généralement entre six et douze ans.

Une denture adulte ❸ comprend 32 dents permanentes. Les quatre dernières molaires (dents de sagesse) ne sortent pas avant l'âge de 17 ans, mais il arrive fréquemment qu'elles demeurent dans l'os si la mâchoire ne grandit pas suffisamment.

LA DURETÉ DES DENTS

Les dents permanentes, qui apparaissent pendant l'enfance, doivent mastiquer la nourriture pendant plusieurs dizaines d'années. Leur dureté et leur résistance sont dues à la nature de leurs tissus : l'émail, surtout composé de phosphate de calcium et de carbonate de calcium, comprend moins de 1 % de matières organiques.

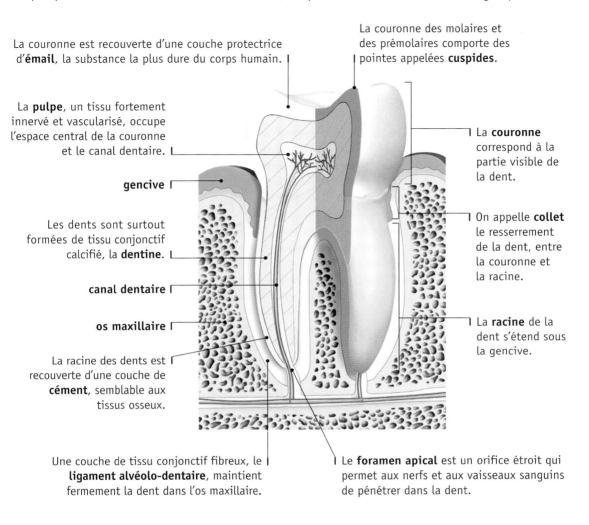

La couronne est recouverte d'une couche protectrice d'**émail**, la substance la plus dure du corps humain.

La couronne des molaires et des prémolaires comporte des pointes appelées **cuspides**.

La **pulpe**, un tissu fortement innervé et vascularisé, occupe l'espace central de la couronne et le canal dentaire.

La **couronne** correspond à la partie visible de la dent.

gencive

Les dents sont surtout formées de tissu conjonctif calcifié, la **dentine**.

On appelle **collet** le resserrement de la dent, entre la couronne et la racine.

canal dentaire

os maxillaire

La **racine** de la dent s'étend sous la gencive.

La racine des dents est recouverte d'une couche de **cément**, semblable aux tissus osseux.

Une couche de tissu conjonctif fibreux, le **ligament alvéolo-dentaire**, maintient fermement la dent dans l'os maxillaire.

Le **foramen apical** est un orifice étroit qui permet aux nerfs et aux vaisseaux sanguins de pénétrer dans la dent.

LE TRAITEMENT D'UNE CARIE

Lorsque des bactéries attaquent l'émail des dents, elles y creusent un trou appelé « carie » ❶, dans lequel elles se développent jusqu'à atteindre la dentine ❷. Le dentiste, après avoir fraisé la dent pour enlever toute trace d'infection, bouche la carie avec un matériau obturateur ❸. Si aucune intervention n'est pratiquée, la carie poursuit sa propagation, infecte les tissus vivants de la pulpe ❹ et peut même former un abcès ❺. Il faut alors pratiquer un traitement de canal ❻, qui consiste à nettoyer et à vider totalement les canaux dentaires, puis à les obturer de façon définitive avec une résine naturelle. Cette opération prive la dent de son innervation et de ses vaisseaux sanguins.

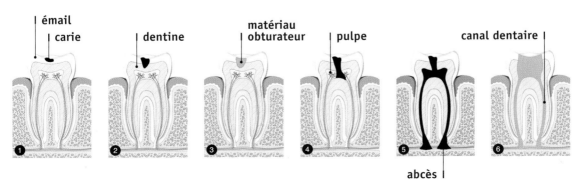

émail
carie

dentine

matériau obturateur

pulpe

canal dentaire

❶ ❷ ❸ ❹ ❺ ❻

abcès

L'estomac

Une poche acide

De l'œsophage, le bol alimentaire passe dans l'estomac, une poche élastique d'environ 25 cm de longueur qui sécrète des sucs extrêmement acides. Brassés par les mouvements incessants des couches musculaires de l'estomac, les aliments se transforment peu à peu en une bouillie, appelée chyme, qui est expulsée par petites quantités dans le duodénum.

LA MUQUEUSE DE L'ESTOMAC

La muqueuse intérieure de l'estomac est formée d'un épithélium qui s'invagine pour former de nombreux replis. Les glandes gastriques qui y sont localisées libèrent différentes substances (acide chlorhydrique, enzyme, mucus, hormone...) qui entrent dans la composition des sucs gastriques. La muqueuse repose sur une sous-muqueuse vascularisée, que recouvrent trois couches musculaires. L'orientation différente des fibres de ces muscles assure un brassage efficace des aliments.

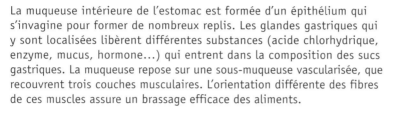

œsophage

Le **pylore** contrôle la sortie du chyme hors de l'estomac grâce à un sphincter, un petit muscle en forme d'anneau.

duodénum

couches musculaires

La **muqueuse** de l'estomac comprend de nombreuses cavités, les cryptes, au fond desquelles se trouvent les glandes gastriques.

L'estomac est recouvert par le **péritoine**, une membrane transparente qui enveloppe tous les viscères.

Les **glandes gastriques** produisent plusieurs substances différentes, dont l'acide chlorhydrique, qui stérilise et morcelle le bol alimentaire.

Séparée de la muqueuse par une fine couche musculaire, la **sous-muqueuse** de l'estomac contient de nombreux vaisseaux sanguins et lymphatiques.

LE CYCLE GASTRIQUE

Parvenu dans l'estomac, le bol alimentaire y est malaxé et mélangé aux sucs gastriques. Il se transforme en une bouillie blanchâtre : le chyme ❶. Les contractions régulières de l'estomac poussent le chyme vers le pylore fermé ❷. L'ouverture répétitive du sphincter pylorique laisse passer de petites quantités de chyme dans le duodénum ❸.

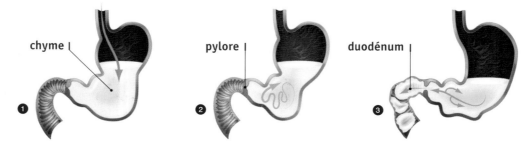

chyme

pylore

duodénum

❶   ❷   ❸

Les intestins

Des tuyaux en enfilade

Après avoir été malaxé dans l'estomac, le chyme pénètre dans les intestins, une longue suite de tuyaux où s'effectue l'essentiel de la digestion. On distingue l'intestin grêle, qui accomplit l'absorption des matières nutritives, et le gros intestin, où le chyme est transformé en matières fécales. Les contractions musculaires des intestins évacuent les déchets par l'anus.

L'INTESTIN GRÊLE

Composé du duodénum, du jéjunum et de l'iléon, l'intestin grêle est un très long tuyau replié sur lui-même. Il assure la majeure partie de la digestion grâce aux sucs intestinaux sécrétés par sa muqueuse, aux enzymes pancréatiques et à la bile. C'est aussi dans l'intestin grêle que s'effectue l'absorption, par l'intermédiaire de cellules épithéliales. Les nombreuses villosités de la paroi interne augmentent considérablement la surface d'absorption.

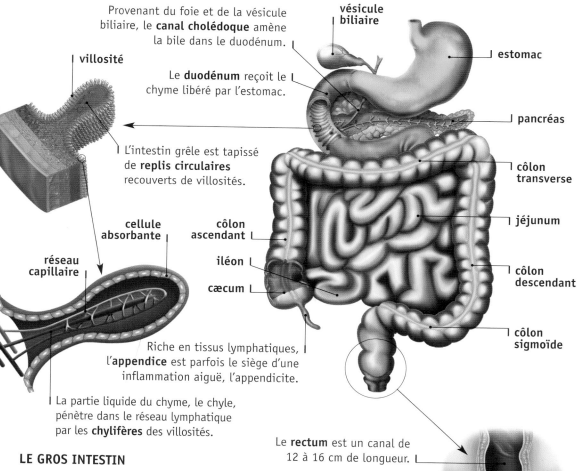

Provenant du foie et de la vésicule biliaire, le **canal cholédoque** amène la bile dans le duodénum.

villosité

Le **duodénum** reçoit le chyme libéré par l'estomac.

L'intestin grêle est tapissé de **replis circulaires** recouverts de villosités.

cellule absorbante

réseau capillaire

côlon ascendant

iléon

cæcum

Riche en tissus lymphatiques, l'**appendice** est parfois le siège d'une inflammation aiguë, l'appendicite.

La partie liquide du chyme, le chyle, pénètre dans le réseau lymphatique par les **chylifères** des villosités.

vésicule biliaire

estomac

pancréas

côlon transverse

jéjunum

côlon descendant

côlon sigmoïde

LE GROS INTESTIN

Le chyme provenant de l'iléon se déverse dans le cæcum, la première partie du gros intestin. Il chemine ensuite dans le côlon, où des bactéries achèvent sa dégradation. À mesure que l'eau est absorbée par la muqueuse du côlon, le chyme se solidifie et se transforme en fèces. Les mouvements du côlon poussent ces matières fécales dans le rectum, ce qui déclenche l'ouverture réflexe des sphincters internes anaux. Les sphincters externes, dont la contraction est volontaire, permettent de retenir la défécation.

Le **rectum** est un canal de 12 à 16 cm de longueur.

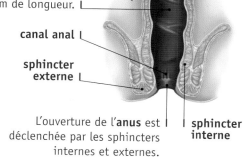

canal anal

sphincter externe

L'ouverture de l'**anus** est déclenchée par les sphincters internes et externes.

sphincter interne

Le foie, le pancréas et la vésicule biliaire

Des laboratoires biochimiques

Le tube digestif ne pourrait pas jouer pleinement son rôle sans l'aide des organes annexes du système digestif. Le foie, le pancréas et la vésicule biliaire élaborent de nombreuses substances digestives, les stockent, puis les libèrent dans le duodénum.

LE FOIE

Le foie, qui pèse près de 1,5 kg, est la glande la plus volumineuse du corps humain. Localisé du côté droit de l'abdomen, il se compose de deux lobes asymétriques, séparés par le ligament falciforme. Véritable laboratoire biochimique, le foie participe à plus de 500 réactions chimiques différentes grâce à la grande quantité de sang que lui apportent l'artère hépatique, provenant du cœur, et la veine porte hépatique, issue de l'intestin grêle (1,5 litre de sang chaque minute). Il fabrique notamment de la bile, du cholestérol et des protéines, stocke du glucose, du fer et des vitamines, et dégrade certains produits toxiques contenus dans le sang, comme l'alcool.

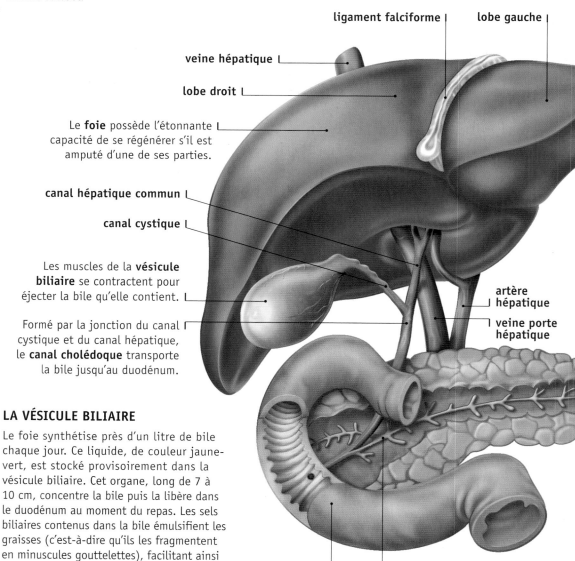

ligament falciforme

lobe gauche

veine hépatique

lobe droit

Le **foie** possède l'étonnante capacité de se régénérer s'il est amputé d'une de ses parties.

canal hépatique commun

canal cystique

Les muscles de la **vésicule biliaire** se contractent pour éjecter la bile qu'elle contient.

Formé par la jonction du canal cystique et du canal hépatique, le **canal cholédoque** transporte la bile jusqu'au duodénum.

artère hépatique

veine porte hépatique

LA VÉSICULE BILIAIRE

Le foie synthétise près d'un litre de bile chaque jour. Ce liquide, de couleur jaune-vert, est stocké provisoirement dans la vésicule biliaire. Cet organe, long de 7 à 10 cm, concentre la bile puis la libère dans le duodénum au moment du repas. Les sels biliaires contenus dans la bile émulsifient les graisses (c'est-à-dire qu'ils les fragmentent en minuscules gouttelettes), facilitant ainsi leur digestion.

duodénum

canal pancréatique

LES LOBULES HÉPATIQUES

Le foie se présente comme un ensemble d'unités hexagonales, mesurant environ 1 mm de diamètre : les lobules hépatiques. Irrigués par des branches de la veine porte hépatique et des branches de l'artère hépatique, ces lobules sont constitués de cellules spécialisées, les hépatocytes, disposées en rayons autour d'une veine centrale, la veine centrotubulaire.

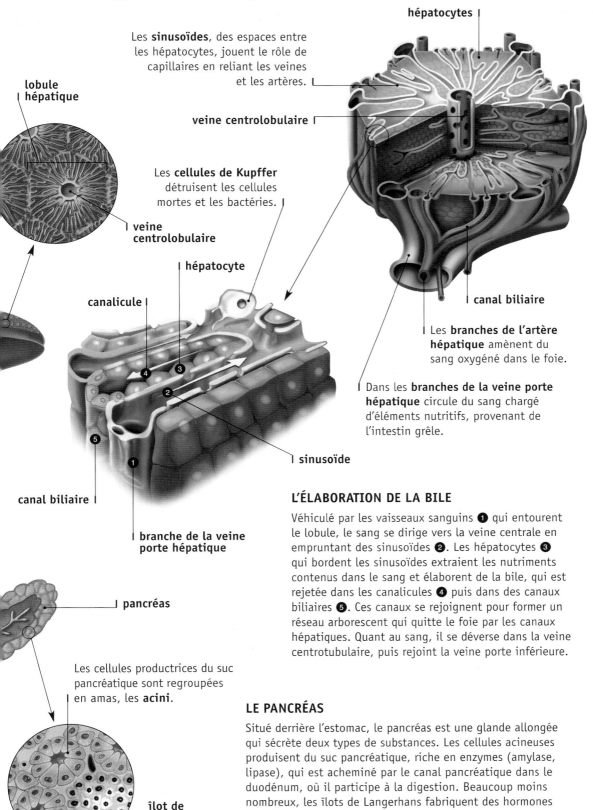

hépatocytes

Les **sinusoïdes**, des espaces entre les hépatocytes, jouent le rôle de capillaires en reliant les veines et les artères.

lobule hépatique

veine centrolobulaire

Les **cellules de Kupffer** détruisent les cellules mortes et les bactéries.

veine centrolobulaire

hépatocyte

canalicule

canal biliaire

Les **branches de l'artère hépatique** amènent du sang oxygéné dans le foie.

Dans les **branches de la veine porte hépatique** circule du sang chargé d'éléments nutritifs, provenant de l'intestin grêle.

sinusoïde

canal biliaire

branche de la veine porte hépatique

pancréas

Les cellules productrices du suc pancréatique sont regroupées en amas, les **acini**.

îlot de Langerhans

L'ÉLABORATION DE LA BILE

Véhiculé par les vaisseaux sanguins ❶ qui entourent le lobule, le sang se dirige vers la veine centrale en empruntant des sinusoïdes ❷. Les hépatocytes ❸ qui bordent les sinusoïdes extraient les nutriments contenus dans le sang et élaborent de la bile, qui est rejetée dans les canalicules ❹ puis dans des canaux biliaires ❺. Ces canaux se rejoignent pour former un réseau arborescent qui quitte le foie par les canaux hépatiques. Quant au sang, il se déverse dans la veine centrotubulaire, puis rejoint la veine porte inférieure.

LE PANCRÉAS

Situé derrière l'estomac, le pancréas est une glande allongée qui sécrète deux types de substances. Les cellules acineuses produisent du suc pancréatique, riche en enzymes (amylase, lipase), qui est acheminé par le canal pancréatique dans le duodénum, où il participe à la digestion. Beaucoup moins nombreux, les îlots de Langerhans fabriquent des hormones (insuline, glucagon) et appartiennent au système endocrinien.

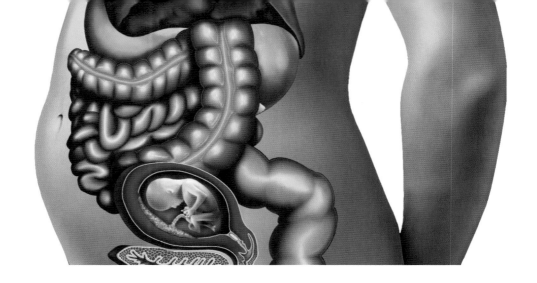

Quelles sont les différences anatomiques et physiologiques entre les hommes et les femmes ? Comment se produit la fécondation de l'ovule par un spermatozoïde ? Quelles sont les étapes du développement du fœtus ? Comment se déroule un accouchement ? Parce qu'elles touchent à l'origine et à la transmission de la vie, les questions qui concernent la sexualité et la reproduction figurent parmi les plus passionnantes.

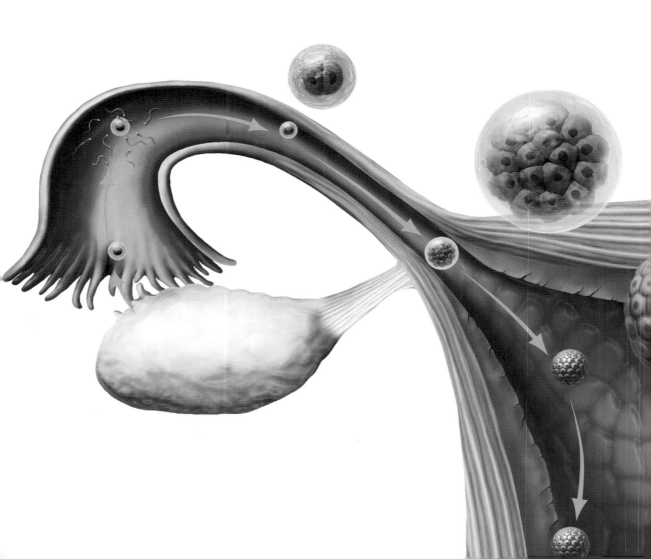

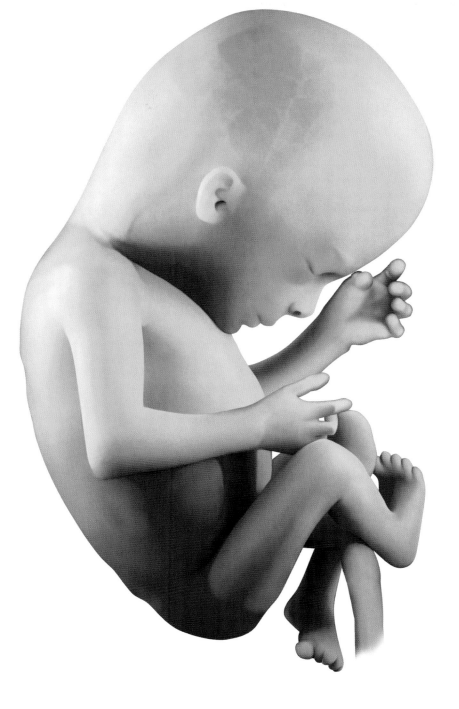

La reproduction

Les organes génitaux masculins

L'élaboration et le transport des spermatozoïdes

À l'image des autres animaux sexués, l'être humain se reproduit en s'accouplant. Chez l'homme, l'appareil reproducteur comprend les deux testicules, soutenus hors de l'abdomen par le scrotum, un ensemble de canaux et de glandes annexes, ainsi que le pénis. Peu actifs pendant l'enfance, les testicules se développent à partir de la puberté, qui survient généralement entre 12 et 15 ans. Jusqu'à la fin de la vie, ils produisent les cellules sexuelles mâles, appelées spermatozoïdes. Les testicules jouent également un rôle endocrine en sécrétant la principale hormone sexuelle masculine, la testostérone.

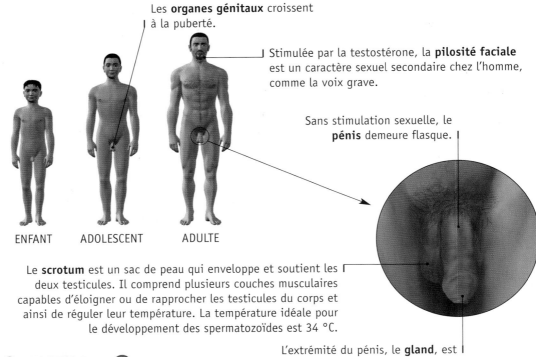

Les **organes génitaux** croissent à la puberté.

Stimulée par la testostérone, la **pilosité faciale** est un caractère sexuel secondaire chez l'homme, comme la voix grave.

Sans stimulation sexuelle, le **pénis** demeure flasque.

ENFANT   ADOLESCENT   ADULTE

Le **scrotum** est un sac de peau qui enveloppe et soutient les deux testicules. Il comprend plusieurs couches musculaires capables d'éloigner ou de rapprocher les testicules du corps et ainsi de réguler leur température. La température idéale pour le développement des spermatozoïdes est 34 °C.

L'extrémité du pénis, le **gland**, est en partie recouverte par un repli de peau, le prépuce.

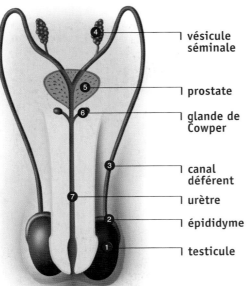

- 4 | **vésicule séminale**
- 5 | **prostate**
- 6 | **glande de Cowper**
- 3 | **canal déférent**
- 7 | **urètre**
- 2 | **épididyme**
- 1 | **testicule**

LE TRAJET DES SPERMATOZOÏDES

Produits régulièrement par les testicules ❶, les spermatozoïdes sont emmagasinés dans les épididymes ❷, où ils poursuivent leur maturation. L'excitation sexuelle provoque leur remontée dans les canaux déférents ❸. Ils sont mélangés aux sécrétions des vésicules séminales ❹, de la prostate ❺ et des glandes de Cowper ❻ pour former un liquide blanchâtre, le sperme. Si la stimulation s'intensifie, le sperme est expulsé de l'urètre ❼ par les contractions rythmiques des muscles de la base du pénis : c'est l'éjaculation.

LE PÉNIS

Les corps cylindriques (deux corps caverneux latéraux et un corps spongieux central) qui composent le pénis ont la capacité de se gorger de sang sous l'effet d'une excitation sexuelle. Le pénis subit alors une transformation importante appelée érection : il durcit, grossit, s'allonge et se redresse. Situé au centre du corps spongieux, l'urètre achemine le sperme jusqu'à l'extrémité du pénis, où il débouche par le méat urétral.

canal déférent

vessie

corps spongieux

corps caverneux

urètre

Le **gland** est formé de corps spongieux.

L'urètre s'ouvre par une fente étroite, le **méat urétral**.

prépuce

glande de Cowper

prostate

vésicule séminale

testicule

scrotum

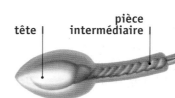

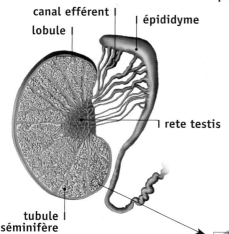

canal efférent

lobule

épididyme

rete testis

tubule séminifère

LE TESTICULE

Enveloppés dans les couches de muscle et de peau qui composent le scrotum, les testicules sont des masses ovales de 3 à 5 cm de longueur, divisées en 250 lobules environ. Chaque lobule contient de petits canaux, appelés tubules séminifères, à l'intérieur desquels se développent les cellules sexuelles mâles, les spermatozoïdes. Les tubules convergent à l'arrière du testicule pour former le rete testis. En sortant du testicule par les canaux efférents, les spermatozoïdes parviennent dans l'épididyme.

lumière

membrane du tubule séminifère

flagelle

LA SPERMATOGENÈSE

Les cellules immatures qui tapissent la membrane des tubules, les spermatogonies ❶, se multiplient par mitose. Certaines restent près de la membrane, tandis que d'autres se détachent et se différencient en spermatocytes de premier ordre ❷. Ceux-ci grossissent et se divisent par méiose, en recombinant leur patrimoine génétique. Les cellules qui en résultent, les spermatocytes de second ordre ❸, sont haploïdes, c'est-à-dire qu'ils ne possèdent pas 46 mais 23 chromosomes. Ils se divisent à nouveau pour donner des spermatides ❹, puis des spermatozoïdes ❺, qui sont alors entraînés dans la lumière du tubule. Ce processus, connu sous le nom de spermatogenèse, dure environ 74 jours.

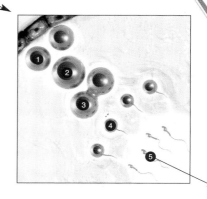

Long d'environ 0,06 mm, un **spermatozoïde** est formé de trois parties : la tête, qui contient le noyau, la pièce intermédiaire, où se concentrent les mitochondries, et le flagelle, qui joue un rôle propulseur.

tête

pièce intermédiaire

Les organes
génitaux féminins
Des organes principalement internes

Tout comme l'homme, la femme possède une paire de glandes sexuelles spécialisées : les ovaires. Responsables de la production des ovocytes (les cellules sexuelles) et des hormones stéroïdes (œstrogène et progestérone), les ovaires sont profondément enfouis à l'intérieur de l'abdomen mais ils communiquent avec l'extérieur par un système de canaux et de cavités comprenant les trompes de Fallope, l'utérus et le vagin.

Les organes génitaux externes de la femme, qu'on nomme la vulve, comprennent les grandes lèvres, les petites lèvres et le clitoris. Même s'ils ne participent pas directement à la reproduction, les seins sont aussi considérés comme des organes du système reproducteur.

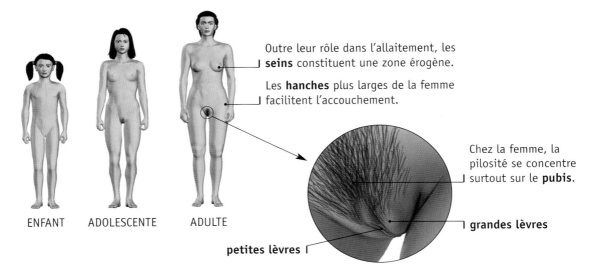

Outre leur rôle dans l'allaitement, les **seins** constituent une zone érogène.

Les **hanches** plus larges de la femme facilitent l'accouchement.

Chez la femme, la pilosité se concentre surtout sur le **pubis**.

ENFANT   ADOLESCENTE   ADULTE

petites lèvres

grandes lèvres

L'APPAREIL REPRODUCTEUR DE LA FEMME

Les ovaires sont les glandes sexuelles femelles : elles sont responsables de la production des ovules et des principales hormones sexuelles. Deux canaux, les trompes de Fallope, relient les ovaires à l'utérus, un organe musculaire à l'intérieur duquel se développe l'embryon. La paroi de l'utérus est formée d'une épaisse couche musculaire, le myomètre. La cavité utérine est recouverte par une muqueuse appelée endomètre.

Par un étroit passage, le col de l'utérus, l'utérus communique avec le vagin, un tube fibro-musculaire long de 7 à 10 cm. Doté de parois très extensibles, le vagin peut se dilater pour accueillir le pénis pendant la relation sexuelle et pour permettre le passage du bébé au moment de l'accouchement.

L'hymen, une fine membrane qui ferme en partie l'entrée du vagin, se rompt en général au cours du premier rapport sexuel.

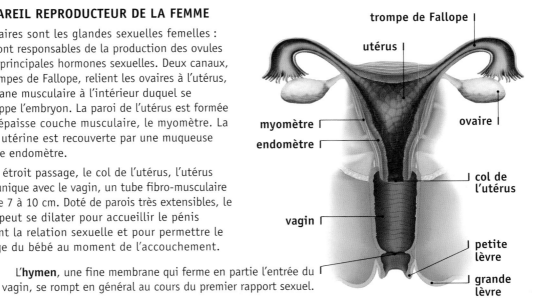

trompe de Fallope

utérus

myomètre

endomètre

ovaire

col de l'utérus

vagin

petite lèvre

grande lèvre

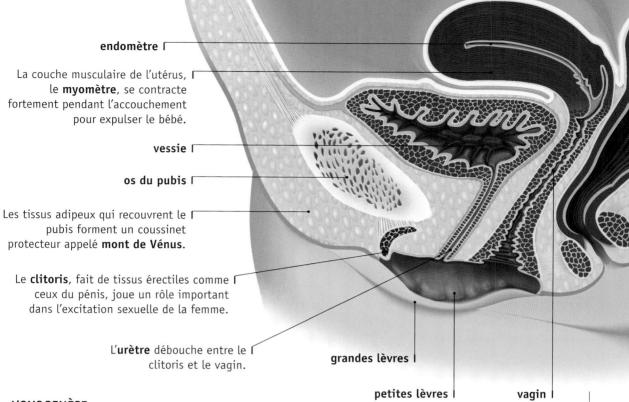

endomètre

La couche musculaire de l'utérus, le **myomètre**, se contracte fortement pendant l'accouchement pour expulser le bébé.

vessie

os du pubis

Les tissus adipeux qui recouvrent le pubis forment un coussinet protecteur appelé **mont de Vénus**.

Le **clitoris**, fait de tissus érectiles comme ceux du pénis, joue un rôle important dans l'excitation sexuelle de la femme.

L'**urètre** débouche entre le clitoris et le vagin.

grandes lèvres

petites lèvres

vagin

L'OVOGENÈSE

À la naissance, la petite fille possède déjà dans ses ovaires 1 à 2 millions d'ovocytes, c'est-à-dire des cellules sexuelles immatures. Ces cellules sont contenues dans de minuscules poches, les follicules primordiaux ❶. Chaque mois à partir de la puberté, les hormones sexuelles font mûrir de 20 à 25 follicules et les transforment en follicules primaires ❷. La plupart d'entre eux dégénèrent, à l'exception d'un seul, qui poursuit sa maturation et devient un follicule secondaire ❸. Ce follicule croît rapidement : en quelques jours, sa paroi s'épaissit et du liquide s'accumule autour de l'ovocyte qu'il contient. Il est alors connu sous le nom de « follicule de De Graaf » ❹. Lorsque la paroi du follicule se rompt, l'ovocyte est expulsé de l'ovaire et capté par les franges de la trompe de Fallope : c'est l'ovulation ❺. À partir de ce stade, l'ovocyte est désigné sous le nom d'ovule.

La muqueuse de la **trompe de Fallope** est recouverte de cils dont les mouvements aspirent l'ovule expulsé.

Si l'**ovule** n'est pas fécondé par un spermatozoïde, il dépérit après quelques jours.

En se développant, le **follicule de De Graaf** forme une bosse sur la surface de l'ovaire.

L'ovocyte contenu par le **follicule secondaire** s'est divisé par méiose : il ne possède que 23 chromosomes.

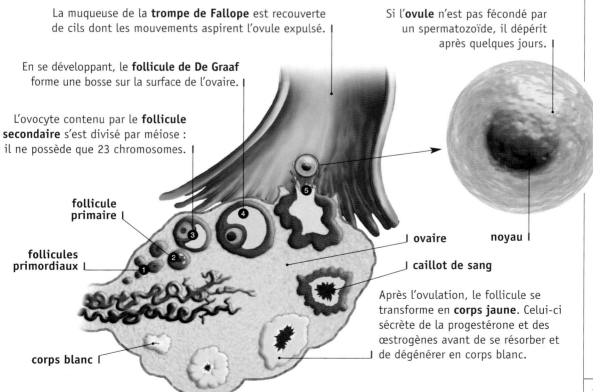

follicule primaire

follicules primordiaux

ovaire

noyau

caillot de sang

Après l'ovulation, le follicule se transforme en **corps jaune**. Celui-ci sécrète de la progestérone et des œstrogènes avant de se résorber et de dégénérer en corps blanc.

corps blanc

La fécondation

La fusion des cellules sexuelles

Pour qu'il y ait fécondation, c'est-à-dire pour qu'un spermatozoïde s'unisse avec un ovule, l'homme doit éjaculer dans le vagin de la femme. Cette expulsion survient pendant une relation sexuelle, au moment où l'homme éprouve un plaisir intense appelé orgasme. Toutefois, une éjaculation n'entraîne pas obligatoirement de fécondation, car la période de fertilité se limite à quelques jours par cycle ovarien. Si l'ovule n'est pas fécondé pendant cette courte période, il dégénère et est éliminé avec le flux menstruel.

LA RELATION SEXUELLE

Plusieurs types de stimulus sensitifs ou psychiques peuvent provoquer l'excitation sexuelle. Chez l'homme, cette stimulation provoque l'érection du pénis, tandis que le vagin de la femme sécrète du mucus lubrifiant. Le clitoris, les grandes lèvres et les mamelons entrent eux aussi en érection. La relation sexuelle proprement dite (ou coït) débute lorsque l'homme introduit son pénis dans le vagin de la femme. Les deux partenaires éprouvent alors des sensations de plaisir accrues.

Lorsque le plaisir de l'homme atteint son paroxysme, des spasmes musculaires expulsent le sperme contenu dans son urètre : c'est l'éjaculation. La femme peut elle aussi ressentir un orgasme, mais il ne s'accompagne pas d'éjaculation. Cependant, la contraction des parois musculaires de son vagin peut provoquer l'orgasme de son partenaire. Au cours d'une éjaculation, de 300 à 500 millions de spermatozoïdes sont déposés au fond du vagin. Grâce aux ondulations de leur flagelle, les spermatozoïdes migrent dans l'utérus et remontent dans les trompes de Fallope, où l'un d'entre eux pourra féconder un ovule.

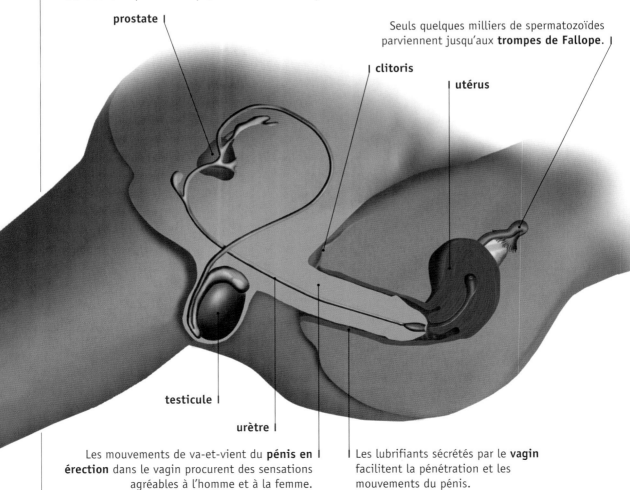

prostate

Seuls quelques milliers de spermatozoïdes parviennent jusqu'aux **trompes de Fallope.**

clitoris

utérus

testicule

urètre

Les mouvements de va-et-vient du **pénis en érection** dans le vagin procurent des sensations agréables à l'homme et à la femme.

Les lubrifiants sécrétés par le **vagin** facilitent la pénétration et les mouvements du pénis.

LE CYCLE MENSTRUEL

Entre l'âge de la puberté et celui de la ménopause, une femme ovule entre 400 et 500 fois, suivant un cycle de 28 jours en moyenne. Pendant la phase préovulatoire, un follicule se développe dans un des ovaires et libère des œstrogènes qui favorisent l'épaississement de l'endomètre, la couche interne de l'utérus. L'augmentation du taux d'œstrogènes entraîne aussi la libération massive d'hormone lutéinisante par l'hypophyse, ce qui provoque l'ovulation.

Une fois l'ovule expulsé dans la trompe de Fallope, le follicule qui l'a produit se transforme en corps jaune. Il sécrète alors de grandes quantités de progestérone et d'œstrogènes, ce qui accroît la vascularisation de l'endomètre et le prépare à une éventuelle grossesse. Si l'ovule n'est pas fécondé, le corps jaune dégénère après huit jours environ. La diminution du taux d'hormones entraîne la constriction des vaisseaux sanguins de l'endomètre, si bien que sa couche superficielle commence à se détacher 14 jours après l'ovulation. Une petite quantité de sang, de mucus et de tissus, le flux menstruel, s'écoule par le vagin pendant 3 à 7 jours. Le cycle peut alors recommencer.

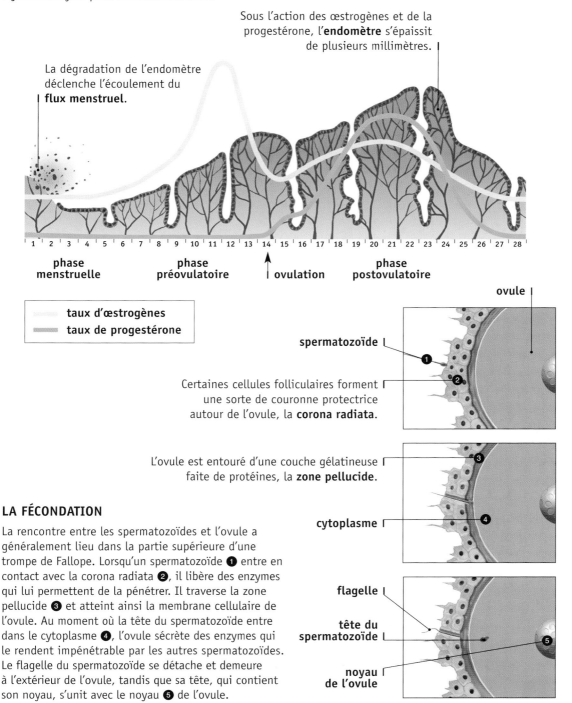

Sous l'action des œstrogènes et de la progestérone, l'**endomètre** s'épaissit de plusieurs millimètres.

La dégradation de l'endomètre déclenche l'écoulement du **flux menstruel.**

1 2 3 4 5 6 7 8 9 10 11 12 13 14 15 16 17 18 19 20 21 22 23 24 25 26 27 28

phase menstruelle **phase préovulatoire** **ovulation** **phase postovulatoire**

--- taux d'œstrogènes
--- taux de progestérone

ovule

spermatozoïde

Certaines cellules folliculaires forment une sorte de couronne protectrice autour de l'ovule, la **corona radiata**.

L'ovule est entouré d'une couche gélatineuse faite de protéines, la **zone pellucide**.

cytoplasme

LA FÉCONDATION

La rencontre entre les spermatozoïdes et l'ovule a généralement lieu dans la partie supérieure d'une trompe de Fallope. Lorsqu'un spermatozoïde ❶ entre en contact avec la corona radiata ❷, il libère des enzymes qui lui permettent de la pénétrer. Il traverse la zone pellucide ❸ et atteint ainsi la membrane cellulaire de l'ovule. Au moment où la tête du spermatozoïde entre dans le cytoplasme ❹, l'ovule sécrète des enzymes qui le rendent impénétrable par les autres spermatozoïdes. Le flagelle du spermatozoïde se détache et demeure à l'extérieur de l'ovule, tandis que sa tête, qui contient son noyau, s'unit avec le noyau ❺ de l'ovule.

flagelle

tête du spermatozoïde

noyau de l'ovule

La vie embryonnaire

Les premières semaines

Entre la fécondation de l'ovule par un spermatozoïde et l'apparition des ongles du futur bébé, il ne s'écoule pas plus de 12 semaines. Pendant ces trois premiers mois, l'œuf fécondé se développe considérablement et se transforme peu à peu en fœtus, c'est-à-dire en un être d'apparence humaine.

DE LA FÉCONDATION À LA NIDATION

Expulsé par l'ovaire ❶, l'ovule est aspiré dans la trompe de Fallope ❷, où il rencontre les spermatozoïdes. Lorsque la fécondation ❸ a lieu, le noyau de l'ovule et celui du spermatozoïde fusionnent pour former un noyau unique, comprenant 46 chromosomes. Cet ovule fécondé, appelé zygote ❹, se divise immédiatement après la fécondation et commence à descendre le long de la trompe de Fallope. Les divisions cellulaires se poursuivent à un rythme croissant, si bien qu'après quatre jours, le zygote forme une boule solide de 64 cellules : la morula ❺. Le lendemain, la morula pénètre dans l'utérus et devient un blastocyste ❻. Sept jours après la fécondation, le blastocyste se fixe sur l'endomètre : c'est le début de la nidation ❼. Quelques jours plus tard, le blastocyste est totalement enfoui dans l'endomètre, qui lui fournit les éléments nutritifs dont il a besoin.

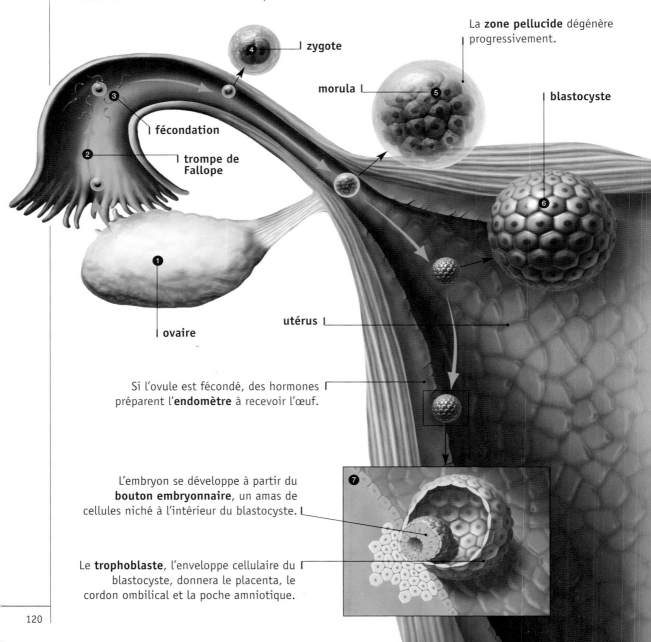

La **zone pellucide** dégénère progressivement.

zygote

morula

blastocyste

fécondation

trompe de Fallope

ovaire

utérus

Si l'ovule est fécondé, des hormones préparent l'**endomètre** à recevoir l'œuf.

L'embryon se développe à partir du **bouton embryonnaire**, un amas de cellules niché à l'intérieur du blastocyste.

Le **trophoblaste**, l'enveloppe cellulaire du blastocyste, donnera le placenta, le cordon ombilical et la poche amniotique.

LA CROISSANCE DE L'EMBRYON

Deux semaines après la fécondation, le blastocyste est profondément ancré dans l'endomètre et le bourgeon embryonnaire commence à se développer. On le désigne alors par le nom d'embryon. Les systèmes du corps (système nerveux, système cardio-vasculaire...) se mettent en place dès les premières semaines, alors que les membres sont plus lents à se développer.

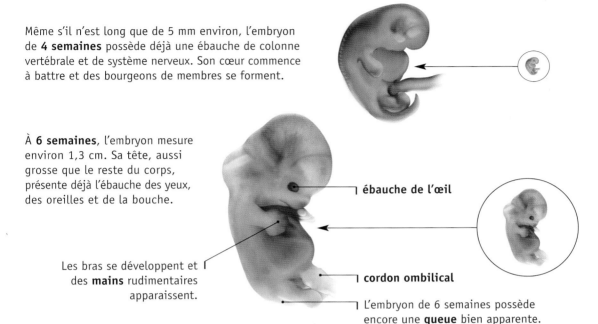

Même s'il n'est long que de 5 mm environ, l'embryon de **4 semaines** possède déjà une ébauche de colonne vertébrale et de système nerveux. Son cœur commence à battre et des bourgeons de membres se forment.

À **6 semaines**, l'embryon mesure environ 1,3 cm. Sa tête, aussi grosse que le reste du corps, présente déjà l'ébauche des yeux, des oreilles et de la bouche.

ébauche de l'œil

Les bras se développent et des **mains** rudimentaires apparaissent.

cordon ombilical

L'embryon de 6 semaines possède encore une **queue** bien apparente.

LE FŒTUS

Après 8 semaines, l'embryon est appelé « fœtus ». Son apparence est alors assez proche de celle d'un bébé, même s'il ne mesure encore que 3 cm et ne pèse que quelques grammes. Pendant le reste de la grossesse, les différents organes du fœtus finissent de se développer et son corps connaît une croissance considérable : son poids est multiplié par près de 1 000 entre la huitième semaine et la naissance.

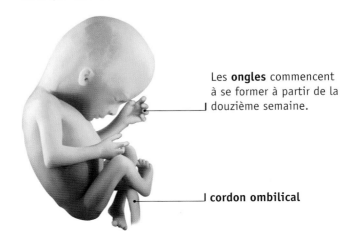

Le fœtus de **9 semaines** possède des membres bien formés. La taille de sa tête est encore excessive par rapport au reste du corps, mais elle présente déjà des yeux, recouverts par des paupières fusionnées. Le processus d'ossification des cartilages a commencé.

À 9 semaines, les **doigts** sont déjà séparés les uns des autres.

À **12 semaines**, le fœtus atteint une taille de 8 cm. Les traits du visage s'affinent et les paupières se préparent à s'ouvrir, alors que les oreilles externes sont bien visibles.

L'oxygène, les éléments nutritifs et les anticorps passent dans le corps du fœtus par le **cordon ombilical**, composé de deux artères et d'une grosse veine.

Les **ongles** commencent à se former à partir de la douzième semaine.

cordon ombilical

La maternité

Gestation, accouchement et allaitement

Pendant les neuf mois que dure la gestation, le futur bébé se développe à l'intérieur du corps de la mère, dont il est totalement dépendant. Il se sépare physiquement de sa mère au moment de l'accouchement, tout en conservant des liens privilégiés avec elle, notamment par l'allaitement.

NEUF MOIS DE GESTATION

Il s'écoule généralement 40 semaines (soit environ neuf mois) entre la fécondation de l'ovule et l'accouchement. Cette période est appelée «gestation». Pendant le premier trimestre, la grossesse n'est pas encore visible, mais la femme souffre de nausées et ses seins commencent à gonfler. Au deuxième trimestre, la croissance du fœtus entraîne une dilatation de l'abdomen, qui s'accentue au troisième trimestre. La compression des organes peut alors causer des troubles mineurs, comme de l'incontinence ou des brûlures d'estomac. Le rythme cardiaque et le volume sanguin de la femme enceinte augmentent au fur et à mesure du développement du fœtus, de même que son volume pulmonaire et son appétit.

PREMIER TRIMESTRE   DEUXIÈME TRIMESTRE   TROISIÈME TRIMESTRE

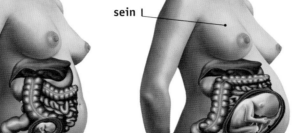

sein

utérus

vessie

Le **fœtus** est enveloppé dans un sac rempli de liquide, la poche amniotique.

Le **placenta** est un organe très vascularisé qui se forme contre la paroi de l'utérus et qui assure la nutrition du fœtus.

LES SEINS

Peu développés avant la puberté, les seins sont des glandes entourées de tissu adipeux qui recouvrent les muscles pectoraux. Chaque glande mammaire est formée d'une vingtaine de lobes disposés en grappes. Les seins grossissent pendant la grossesse et produisent du lait après l'accouchement grâce à la stimulation d'une hormone, la prolactine. Le lait maternel est acheminé par les canaux mammaires jusqu'à des réservoirs, les sinus lactifères, où il est emmagasiné avant d'être expulsé des mamelons par de minuscules orifices.

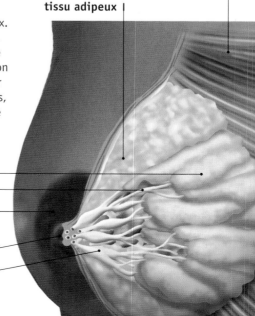

muscle pectoral

tissu adipeux

Chaque **lobe** est relié au mamelon par un canal mammaire.

canal mammaire

L'**aréole**, qui forme un disque autour du mamelon, contient des glandes sébacées.

mamelon

sinus lactifère

L'ACCOUCHEMENT

Au cours des semaines qui précèdent l'accouchement, le fœtus, qui se présente généralement par la tête, descend peu à peu entre les os du bassin et appuie sur le col de l'utérus.

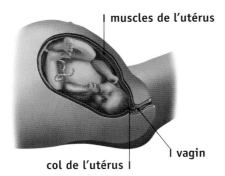

muscles de l'utérus

col de l'utérus | | vagin

LA PÉRIODE DE DILATATION

L'accouchement commence lorsque l'action combinée de plusieurs hormones provoque les contractions rythmiques et douloureuses des muscles de l'utérus. Ces contractions utérines se propagent de haut en bas, ce qui dilate progressivement le col de l'utérus et entraîne la rupture de la poche amniotique.

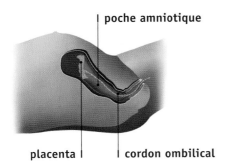

LA PÉRIODE D'EXPULSION

Il peut s'écouler plusieurs heures avant que le col et le vagin soient suffisamment dilatés pour permettre le passage du bébé. Lorsque l'ouverture atteint 10 cm environ, la tête du bébé s'engage dans le vagin. Grâce à l'aide de la mère, qui contracte fortement les muscles de son abdomen, l'enfant est expulsé en moins d'une heure.

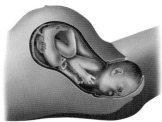

poche amniotique

placenta | | cordon ombilical

LA PÉRIODE DE DÉLIVRANCE

Après la naissance, les muscles de l'utérus continuent de se contracter pour expulser le placenta. Ces contractions ont aussi pour effet d'arrêter l'hémorragie en comprimant les vaisseaux sanguins endommagés. La rétraction complète de l'utérus et du vagin peut prendre quelques semaines.

L'ALLAITEMENT

Dès l'accouchement, la mère est capable d'allaiter son enfant, c'est-à-dire de le nourrir avec le lait produit par ses seins. Facilement digestible, le lait maternel contient des substances nutritives et favorise les défenses immunitaires du nouveau-né. Par ailleurs, la stimulation des mamelons provoque des contractions de l'utérus et l'aide ainsi à retrouver sa taille normale.

La **succion** du bébé est ressentie par des récepteurs du mamelon. L'information nerveuse est transmise à l'hypophyse, qui sécrète de la prolactine, une hormone stimulant la production de lait par les glandes mammaires, et de l'ocytocine, une hormone qui provoque l'éjection du lait hors des glandes mammaires.

Glossaire

abdomen
Région du corps située entre le thorax et le bassin.

acide aminé
Acide organique constituant l'unité structurale de base des protéines.

afférent
Se dit d'une voie (nerf, vaisseau sanguin, canal) qui conduit à un organe.

anatomie
Science qui étudie la forme et la structure des organes et des organismes.

anticorps
Protéine soluble capable de se fixer sur une substance étrangère spécifique et d'aider à la détruire.

antigène
Substance étrangère qui provoque l'action d'un anticorps lorsqu'elle est introduite dans l'organisme.

apex
Pointe d'un organe.

aponévrose
Feuillet de tissu conjonctif dense, semblable à un tendon, qui relie un muscle à un autre muscle ou à un os.

bactérie
Micro-organisme unicellulaire.

base azotée
Molécule organique contenant de l'azote et entrant dans la composition des nucléotides.

cal
Masse de tissu osseux mou qui se forme dans une fracture et qui est progressivement remplacée par du tissu osseux mature.

cartilage
Tissu conjonctif semi-opaque et résistant, composé de chondrocytes enveloppés dans un dense réseau de fibres de collagène et de fibres élastiques.

cellule haploïde
Cellule ayant subi une méiose et qui, dans l'espèce humaine, ne comprend plus que 23 chromosomes au lieu de 46. Seules les cellules sexuelles sont haploïdes.

cellule souche
Cellule immature capable de se multiplier indéfiniment et de se différencier en tous les types cellulaires du corps humain.

chimiotactisme
Effet d'attraction ou de répulsion exercé par certaines substances chimiques sur une cellule capable de se déplacer.

collagène
Protéine fibreuse qui constitue un composant essentiel du tissu conjonctif.

commissure
Bande tissulaire joignant deux parties du corps, notamment dans le système nerveux central.

concave
Qui présente un creux vers l'intérieur.

convexe
Qui présente une courbure vers l'extérieur.

corps vertébral
Partie principale d'une vertèbre.

cortex
Couche externe d'un organe ou d'une structure, notamment du cerveau, du cervelet, des reins et des glandes surrénales.

distal
Désigne l'extrémité la plus éloignée du centre du corps, en parlant d'un organe ou d'une structure.

efférent
Se dit d'une voie (nerf, vaisseau sanguin, canal) qui conduit hors d'un organe.

électro-encéphalogramme
Graphique obtenu par un système d'enregistrement de l'activité électrique des neurones du cortex cérébral.

endolymphe
Liquide, riche en potassium, qui remplit les cavités de l'oreille interne et baigne les organes de l'audition et de l'équilibre.

enzyme
Protéine qui agit comme un catalyseur d'une réaction chimique.

fibre
Élément formé de nombreux filaments, constitutif de certains tissus.

follicule
Petite poche ou glande.

génétique
Relatif aux gènes et à l'hérédité.

glycémie
Taux de sucre dans le sang.

hémorragie
Écoulement de sang à l'extérieur des vaisseaux sanguins.

homéostasie
Maintien de l'équilibre interne d'un organisme.

hyalin
Qui a l'apparence du verre.

lipide
Substance organique, peu soluble dans l'eau, qui constitue un corps gras.

matrice
Substance intercellulaire homogène de tous les tissus.

méat
Orifice par lequel un canal débouche à l'extérieur du corps.

méiose
Type de division cellulaire produisant exclusivement des cellules sexuelles. Elle comprend une phase de distribution aléatoire du patrimoine génétique et une phase de division qui entraîne la réduction de moitié du nombre de chromosomes (23 au lieu de 46 dans l'espèce humaine).

membrane
Mince feuillet tissulaire.

Glossaire

membre

Chacune des quatre parties du corps détachées du tronc (membres supérieurs et membres inférieurs).

métabolisme

Ensemble des réactions biochimiques qui permettent les échanges de matières et d'énergie à l'intérieur du corps. Il comprend des réactions de synthèse (anaboliques) et des réactions de dégradation organique (cataboliques).

microvillosité

Excroissance microscopique de la membrane cellulaire de certaines cellules épithéliales, notamment sur la muqueuse intestinale.

molécule

Particule formée de deux ou de plusieurs atomes.

muqueuse

Membrane tapissant les cavités et les conduits du corps, et qui sécrète du mucus.

muscle arrecteur

Muscle lisse inséré sur un poil et dont la contraction provoque son soulèvement en position verticale.

muscle intrinsèque

Muscle entièrement contenu à l'intérieur d'un organe ou d'une partie du corps.

neurotransmetteur

Molécule servant de messager chimique entre deux neurones. Synthétisé dans une terminaison axonale, le neurotransmetteur est libéré dans la fente synaptique en réponse à un influx nerveux.

nocicepteur

Terminaison nerveuse sensible aux stimulus douloureux.

orbite

Cavité osseuse de forme pyramidale qui abrite le globe oculaire et ses organes annexes.

organe

Partie du corps constituée de plusieurs tissus différents, possédant une forme déterminée et exerçant une fonction particulière.

photorécepteur

Cellule de la rétine, capable de convertir la lumière en influx nerveux.

physiologie

Science qui étudie le fonctionnement d'un organe ou d'un organisme.

pigment

Substance responsable de la coloration d'un tissu.

placenta

Organe spongieux et très vascularisé qui se forme dans l'utérus pendant la grossesse et qui communique avec le fœtus par l'intermédiaire du cordon ombilical.

poche amniotique

Sac rempli de liquide amniotique dans lequel baigne le fœtus.

pore

Orifice de petite taille à la surface de la peau, d'une membrane ou d'une muqueuse.

protéine

Composé organique formé de longues chaînes d'acides aminés et qui se trouve en abondance dans la matière vivante.

proximal

Désigne l'extrémité la plus proche du centre du corps, en parlant d'un organe ou d'une structure.

puberté

Période de la vie, généralement entre 11 et 16 ans, pendant laquelle des phénomènes physiologiques transforment le corps et le rendent apte à se reproduire.

réfraction

Déviation de la lumière lorsqu'elle change de milieu.

sébum

Produit de sécrétion des glandes sébacées, destiné à lubrifier la peau et les poils.

sinus

Cavité à l'intérieur d'un os.

soluté

Substance dissoute dans un solvant.

stéroïde

Type d'hormone essentiellement sécrétée par les glandes corticosurrénales et les glandes sexuelles. Les stéroïdes appartiennent au groupe des stérols, qui comprend aussi des substances comme le cholestérol et les vitamines D.

stimulus

Élément de l'environnement capable de stimuler un récepteur sensoriel.

suc

Liquide organique contenant des enzymes.

tissu adipeux

Tissu conjonctif formé principalement d'adipocytes, des cellules graisseuses.

travée

Fin cordon de tissu conjonctif s'étendant à l'intérieur d'un organe et assurant son soutien. Les travées osseuses s'entrelacent pour former le tissu osseux spongieux.

villosité

Petite saillie à la surface d'une muqueuse ou d'un organe.

virus

Micro-organisme de très petite taille constitué d'une chaîne d'acide nucléique et qui ne peut vivre qu'en parasitant un autre être vivant, dont il tire des enzymes et des acides aminés.

zone érogène

Partie du corps susceptible d'être excitée sexuellement.

Index

Les termes en MAJUSCULES et la pagination en **caractères gras** renvoient à une entrée principale. Le symbole [G] indique une entrée de glossaire.

Les termes en MAJUSCULES et la pagination en **caractères gras** renvoient à une entrée principale. Le symbole [G] indique une entrée de glossaire.

Index

Les termes en MAJUSCULES et la pagination en **caractères gras** renvoient à une entrée principale. Le symbole [G] indique une entrée de glossaire.